Bianca™

Pasiones mediterráneas

Kathryn Ross

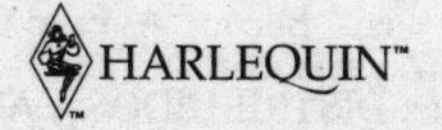

Editado por HARLEQUIN IBÉRICA, S.A.
Núñez de Balboa, 56
28001 Madrid

PASIONES MEDITERRÁNEAS, N.º 2023 - 1.9.10
Título original: The Mediterranean's Wife by Contract
Publicada originalmente por Mills & Boon®, Ltd., Londres.

I.S.B.N.: 978-84-671-8621-5
Depósito legal: B-30064-2010
Editor responsable: Luis Pugni
Preimpresión y fotomecánica: M.T. Color & Diseño, S.L.
C/ Colquide, 6 portal 2 - 3º H. 28230 Las Rozas (Madrid)
Impresión y encuadernación: LITOGRAFÍA ROSÉS, S.A.
C/ Energía, 11. 08850 Gavá (Barcelona)
Fecha impresion para Argentina: 28.2.11
Distribuidor exclusivo para España: LOGISTA
Distribuidor para México: CODIPLYRSA
Distribuidores para Argentina: interior, BERTRAN, S.A.C. Vélez Sársfield, 1950. Cap. Fed./ Buenos Aires y Gran Buenos Aires, VACCARO SÁNCHEZ y Cía, S.A.
Distribuidor para Chile: DISTRIBUIDORA ALFA, S.A.

Capítulo 1

UNA CITA a ciegas no tenía nada de divertido para Carrie. Sin embargo, desde el segundo día de sus vacaciones, después de que Jo conociera a Theo, su amiga no había dejado de insistir: Carrie debía conocer al guapo hermano mayor del hombre que era su pareja.

–Te aseguro que en el momento en el que lo veas, comprenderás a qué me refiero –le había dicho Jo con gesto muy serio–. Si yo no estuviera locamente enamorada de Theo, te aseguro que iría a por él. Andreas es guapísimo y, además, un hombre muy agradable.

–Jo, si estás haciendo esto porque no quieres que me quede sola, no tienes de qué preocuparte. Como llevo los últimos meses estudiando para terminar mi licenciatura, no me viene nada mal relajarme un poco, tomar el sol y...

–Sí, ya lo sé. Todo eso ya me lo has dicho. Sin embargo, lo que tienes que hacer es conocer a ese hombre, Carrie. Es un adonis griego de verdad. Te lo juro. Hazlo aunque sólo sea por mí. Queda con Andreas una sola tarde, durante unas pocas horas. Saldremos las dos parejas juntas. ¿Qué te parece eso? Tomaremos algo antes de cenar en esa encantadora taberna que hay al lado de la playa. Si te gusta, te podrás quedar para que cenemos juntos y, si no te gusta, puedes decirle que ya has cenado y te marchas. Sin embargo, te aseguro que te gustará.

Al cuarto día de las vacaciones, en un momento de debilidad, Carrie había terminado accediendo. Por lo tanto, allí estaba, sentada sola a una mesa y sintiendo una fuerte aprensión. Jo y su novio llegaban tarde. Y Dios sabía dónde estaba Andreas. Posiblemente tratando de resistírsele a Theo si su hermano había tenido que esforzarse tanto para convencerlo como le había ocurrido a Jo con ella.

«Jamás debería haber accedido a esto», pensaba Carrie muy avergonzada.

Al menos, aquella taberna resultaba un lugar idílico en el que esperar. Además, el sol se estaba poniendo envuelto en una maravillosa bruma rojiza y parecía teñir al mismo tiempo el mar de anaranjadas llamas. Era un final espectacular para otro largo y caluroso día en la isla de Pyrena.

Carrie aspiró el fragante aire de la noche, perfumado con el aroma del jazmín y del salitre del mar, y se relajó. Con un poco de suerte, el hermano de Theo no se presentaría y Carrie podría marcharse para que Jo y Theo disfrutaran de una romántica velada en solitario. Los dos necesitaban aprovechar su tiempo porque las vacaciones se terminarían dentro de diez días y Jo y ella tendrían que regresar a Londres, algo que Jo lamentaría mucho. Carrie jamás la había visto tan cautivada por un hombre. Era como si llevaran juntos toda la vida.

La noche iba ganando poco a poco terreno, por lo que un camarero comenzó a encender las velas que había sobre las mesas. Carrie miró el reloj. Jo llegaba ya diez minutos tarde. Tal vez si tardaba otros diez, Carrie podría marcharse. ¿Por qué no podía comprender su amiga que prefería estar sola?

–¿Está esperando a alguien?

Al escuchar la pregunta, Carrie levantó la cabeza y sintió que un fuego abrasador le recorría todo el cuerpo. Si aquel hombre era Andreas, Jo no había exagerado en lo más mínimo. Era guapísimo... De hecho, probablemente era el hombre más guapo que Carrie había visto en toda su vida.

Era alto, de complexión fuerte. Llevaba puesto un traje oscuro de aspecto caro con un aire casual, algo que sólo algunos hombres parecían conseguir sin esfuerzo alguno. Llevaba la camisa blanca con el botón del cuello desabrochado y el cabello oscuro muy corto, lo que acentuaba unos rasgos acerados y una fuerte mandíbula. Sin embargo, eran los ojos lo que más le había impactado del físico de aquel hombre. Negros como el carbón, de mirada intensa, un punto arrogante...

–Sí... –dijo ella a duras penas, al recordar que él estaba esperando que respondiera–. A unos amigos.

–Usted debe de ser Carrie.

Ella asintió. Se preguntó si sería su imaginación, pero, de repente, le pareció que el aire quedaba completamente cargado entre ellos. Él pareció mirarla a los ojos un segundo más de lo necesario antes de examinar cuidadosamente su aspecto sin rubor alguno, desde el largo y rubio cabello hasta las curvas de su cuerpo que quedaban ocultas bajo un vestido azul.

La reacción de Carrie fue inesperada. Una oleada de cálida sensualidad se despertó en ella al saberse el objeto de tan cuidadoso y sexual examen.

–Andreas Stillanos –dijo extendiendo la mano.

Carrie se la estrechó e inmediatamente sintió un hormigueo que indicó que la simple atracción había ido un paso más allá. De repente, sintió que el pánico se apoderaba de ella. Nunca antes se había sentido así con un hombre. Efectivamente, él era muy guapo, pero ¿cómo se podía sentir tan... excitada sólo por el modo en el que la estaba mirando?

Sin embargo, así era. Era un sentimiento casi primitivo. Carrie no sabía explicarlo. Lo que sí sabía era que la asustaba profundamente. Ella era una persona realista, sensata... Lo que sentía en aquellos instantes era una clase de locura que no quería en su vida.

Observó cómo Andreas apartaba la silla de la mesa para sentarse. Durante un momento, ambos guardaron silencio. Tan sólo se podía escuchar el murmullo del mar contra la playa.

–Parece que Jo y Theo se retrasan –dijo ella tratando de recuperar la compostura.

–Sí, eso parece.

En ese momento, un camarero se acercó a su mesa y Andreas se dirigió a él en griego. El idioma tenía un sonido profundo, sensual, que intrigó aún más a Carrie.

–¿Te apetece algo más de beber, Carrie? –le preguntó él en un inglés perfecto.

–No, estoy bien. Gracias –respondió ella, señalando su copa de vino.

Volvieron a quedarse solos.

–Creo que el retraso tiene algo que ver con la tienda de submarinismo de Theo –añadió Carrie–. Aparentemente, hoy iba a cerrar más tarde de lo habitual para poder atender a unos clientes que se marchan mañana a Inglaterra.

Andreas la miró con una irónica sonrisa en los labios.

–Personalmente, creo que el retraso tiene mucho

más que ver con el hecho de que nosotros podamos estar solos un rato.

Al escuchar estas palabras, Carrie se sonrojó. No se le había pasado esa posibilidad por la cabeza.

–¡No lo creo! –protestó a pesar de que ella misma lo sospechaba.

–¿No? –preguntó él. Parecía observarla con mucha atención, lo que provocó que Carrie se sonrojara aún más.

–Bueno, Jo me llamó para disculparse por el retraso y parecía verdaderamente disgustada. No le gusta llegar tarde.

–¿Significa eso que no te has sentido obligada a conocerme? Porque, para ser sincero, tengo que decir que Theo no ha parado de hablar de ti en estos últimos días.

–Y has accedido a lo de esta noche sólo para que te deje en paz –dijo–. No importa. Yo misma he sufrido una situación similar. Jo me ha estado hablando mucho de ti. Creo que se siente culpable por el hecho de dejarme sola a pesar de que yo no hago más que responderle que estoy bien.

–Se han enamorado y ahora creen que todo el mundo tiene que seguir su ejemplo –comentó Andreas, secamente.

El camarero regresó con el café que Andreas había pedido. Carrie agradeció la interrupción. Por el modo en el que él había hablado resultaba evidente que tampoco quería tener una cita a ciegas con ella. Además, el hecho de que hubiera pedido un café parecía sugerir que ni siquiera pensaba quedarse.

–Desgraciadamente –dijo él–, tengo una reunión de negocios en Atenas mañana por la mañana temprano. Por lo tanto, no me puedo quedar mucho tiempo.

–Yo tampoco –replicó ella sin poder evitar ponerse a la defensiva–. Antes de que llegaras, estaba pensando que deberíamos terminar con esto tan poco como fuera posible. Joe y Theo deberían aprovechar cada instante y disfrutar de una romántica velada en solitario.

–Sí, supongo que sí, pero yo no me preocuparía demasiado. Estoy seguro de que lo harán. Bueno, ¿estás disfrutando de tus vacaciones en Pyrena?

–Sí, mucho. Gracias –respondió ella cortésmente–. Es una isla muy bonita.

–¿Has ido ya al arrecife de coral?

–No. Theo y Jo me invitaron a ir con ellos ayer, pero no sé bucear.

–Podrías ir simplemente con unas gafas y un tubo para respirar.

–No se me da muy bien nadar y no me gusta estar en un ambiente que no controlo.

–Sólo necesitas a alguien con experiencia que te acompañe. Deberías ir. Es un lugar muy hermoso –comentó él. En aquel momento, su teléfono móvil comenzó a sonar–. Perdóname, Carrie –añadió, antes de contestar.

Ella escuchó mientras él hablaba en griego. Tenía una voz profunda, profesional, y una expresión seria en el rostro. Era demasiado atractivo. Peligrosamente atractivo. Sin poder evitarlo, se preguntó qué se sentiría al notar aquellos labios tan sensuales explorando los suyos, aquellas manos tocándole la piel...

Andreas terminó la llamada y la miró.

–Lo siento mucho. Trabajo.

–No importa...

Enojada consigo misma por lo que estaba pensando, apartó la mirada y la centró en la copa de vino.

¿Qué diablos le ocurría? Andreas le había dejado bien claro lo incómoda que le resultaba aquella situación y allí estaba ella, dejándose llevar por ensoñaciones con él.

–Si tienes que marcharse, no permitas que yo te lo impida. Me disculparé con Jo y Theo en tu nombre.

–No creo que es sea necesario. Acaban de llegar.

Carrie miró hacia la carretera y vio a Theo bajándose de su deportivo negro. Jo lo hizo casi al mismo tiempo. Theo la esperó y le agarró la mano. El momento resultó muy tierno.

–De algún modo, parecen estar hechos el uno para el otro, ¿no te parece?

–Sí. Creo que van en serio.

Mientras la pareja se acercaba a la mesa, Carrie pensó que su amiga jamás le había parecido más feliz. Sabía lo dura que había sido la vida de su amiga, dado que las dos se habían criado en el mismo hogar de acogida. Se preguntó qué ocurriría cuando llegara el momento de volver a casa.

–Sentimos llegar tarde –murmuró ella mirando a Carrie y Andreas con curiosidad.

–Ha sido culpa mía –dijo Theo mientras besaba a Carrie en ambas mejillas–. Me alegra volver a verte, Carrie. Se nos ha hecho muy tarde, pero sabíamos que vosotros dos encajaríais a la perfección.

Carrie miró a Andreas en ese momento y deseó no haberlo hecho. Parecía divertido por la situación, algo que la irritó profundamente.

–No te preocupes –dijo Andreas mientras se levantaba para saludar a los recién llegados–. A Carrie y a mí nos ha gustado conocernos.

–¡Bien! –exclamó Jo mirando con alegría a su amiga.

¿De verdad estaba Jo tan cegada por el amor que no se

daba cuenta de que Andreas no tenía ningún deseo de estar allí?–. Bueno, ¿va todo bien? –le preguntó a Carrie mientras se sentaba a su lado.

–Por supuesto –dijo ella con aire distraído. Estaba observando lo mucho que se parecían los dos hermanos, aunque los rasgos de Theo resultaban más suaves y menos desafiantes que los de Andreas. Por el modo en el que los dos hombres hablaban parecía que, además de ser hermanos, eran buenos amigos.

–Ahora van a estar horas hablando de negocios –dijo Jo con una sonrisa.

–Eh, necesito todos los consejos que se me puedan dar –replicó él–, en especial de un hermano que es una mente privilegiada para los negocios. No sé qué haría sin él.

–Te aseguro que lo harías muy bien, Theo. Tu negocio va viento en poca –comentó Andreas.

–Sin tu ayuda no lo habría conseguido. Bueno, ¿echamos un vistazo a los menús? No sé vosotros, pero yo me muero de hambre.

–Desgraciadamente yo no puedo quedarse –dijo Andreas mirando el reloj–. Tengo que marcharme a Atenas. Tengo una reunión mañana por la mañana temprano.

–¡Oh, no! –exclamó Jo sin poder ocultar su desilusión–. ¿No te podrías quedar un poco más?

–Me temo que no –respondió él. Entonces, miró a Carrie–. Ha sido un placer conocerte, Carrie.

–Lo mismo digo –replicó ella con una cortés sonrisa en los labios.

Las miradas de ambos se cruzaron un instante.

Andreas se fijó en la fiera mirada que Carrie tenía en los ojos. Evidentemente, se sentía tan incómoda con esa situación como él. Era muy hermosa... Theo no le había mentido. Además, tenía una fragilidad y una reserva que lo fascinaban. La mayoría de las mujeres flirteaban abiertamente con él, pero ella ni siquiera había tratado de captar su interés. Tan sólo una orgullosa inclinación de la cabeza y una sonrisa.

Se recordó que él no tenía tiempo para aquellas cosas. Estaba sumido en una difícil negociación y no era el momento para dejarse llevar por el romance. Además, la situación podía ser muy delicada. Theo estaba muy enamorado de la mejor amiga de Carrie y, por el contrario, él no buscaba nada serio en una relación ni lo buscaría jamás. Por lo tanto, seguramente lo mejor sería mantenerse alejado de aguas turbulentas.

–Os dejo para que podáis seguir disfrutando de la velada –dijo poniéndose de pie.

–¡Maldita sea! –musitó Jo mientras observaba cómo Andreas se marchaba–. Lo siento mucho, Carrie... De verdad pensé que los dos conectaríais.

–Y así fue. Disfrutamos de una copa juntos –le dijo Carrie a su amiga–. ¡No pierdas el tiempo preocupándote por ello!

–Andreas está sumido en una absorción empresarial muy complicada. Acaba de vender su editorial y ahora está comprando acciones en un periódico. Si su reunión es por la mañana temprano, tendrá que tomar el ferry a Atenas esta noche y alojarse en el apartamento que tiene allí –dijo Theo.

–No tienes que excusarle. Andreas y yo lo hemos pasado muy bien charlando mientras os esperábamos. Yo he disfrutado mucho con su compañía, pero los dos acordamos que vosotros debéis estar solos y, para seros sincera, agradezco la oportunidad de regresar al apartamento para meterme pronto en la cama.

–¡No te vas a ir a ninguna parte! –exclamó Jo–. Vas a cenar con nosotros. ¡Insistimos!

–Sinceramente, Jo...

–Si fuera tú, yo no me esforzaría en discutir con ella –le dijo Theo con una sonrisa–. Llevas todas las de perder.

Capítulo 2

CARRIE estaba tomando agua fresca tumbada en una hamaca mientras leía un libro. Aquello le parecía el paraíso. Londres parecía estar en un mundo completamente diferente. Había muy pocas personas junto a la piscina del complejo de apartamentos y la tranquilidad reinante le resultaba muy relajante.

Jo acababa de marcharse para tomar café con Theo en la tienda de éste. Ella le había dicho a Carrie que la acompañara, pero después de lo ocurrido con Andreas la noche anterior, ésta había preferido quedarse sola. La media hora que estuvo con Andreas había sido seguramente la más incómoda de su vida.

Sin embargo, era tan guapo... Recordó los ojos oscuros, intensos, y los pensamientos alocados que éstos habían provocado en ella. Carrie tenía veintidós años y ningún hombre había despertado en ella esa clase de sentimientos ni siquiera cuando la habían besado. Había empezado a pensar que tal vez nunca llegaría a experimentar la pasión porque pensaba las cosas demasiado. Analizaba las relaciones al máximo.

Jo le había dicho que tenía un problema de confianza en lo que se refería a los hombres y estaba segura de que su amiga tenía razón. Su padre la había abandonado cuando sólo era una niña. Había empezado a aceptar que, efectivamente, jamás dejaría que un hombre le robara el corazón. Sin embargo, la noche anterior había bastado con que Andreas la mirara para que se sintiera más viva y más excitada de lo que se había sentido nunca.

Decidió que aquellos pensamientos tan sólo eran una locura temporal causada por las vacaciones y un exceso de sol. Andreas ni siquiera estaba interesado en ella... ¡ni ella en él!

Su teléfono empezó a sonar. Lo contestó rápidamente, antes de que el estridente sonido pudiera perturbar la paz y la tranquilidad de la tarde. Se imaginó que sería Jo para preguntarle si había cambiado de opinión y quería unirse a ellos.

–Hola, Jo... ¿me vas a dejar en paz? Estoy al lado de la piscina sin hacer nada y estoy disfrutando de cada instante.

–Bueno, me alegra oírlo –respondió la voz de un hombre.

Carrie estuvo a punto de dejar caer el teléfono. Supo inmediatamente de quién se trataba. Se incorporó en la hamaca y dejó que el libro se le cayera al suelo.

–Andreas, ¿de dónde has sacado mi número de teléfono?

–Bueno, tienes dos opciones –bromeó él–, pero si quieres que te dé una pista, acabo de visitar a Theo en la tienda. Quería que le aconsejara sobre una equipo que va a comprar...

–¡Y has dejado que te convenza para que me llames! Andreas, sé que estimas mucho a tu hermano, pero esto va mucho más allá de la línea del deber...

–Déjame decirte que te equivocas. Por una vez, Theo ni siquiera te mencionó. Fui yo quien le pidió tu número.

Carrie se quedó asombrada. Se preguntó si lo habría entendido mal.

–¿Y por qué ibas a hacer algo así?

–Porque esta tarde tengo un poco de tiempo libre y me preguntaba si te gustaría venir conmigo al arrecife de coral.

–Te agradezco mucho el ofrecimiento, pero estoy ocupada...

–Creía que acababas de decir que no estabas haciendo nada –comentó él con tono jocoso.

–Así es. Estoy disfrutando del hecho de no hacer nada.

–En ese caso, saca un poco de energía, vente conmigo y disfrutarás aún más. Te recogeré dentro de diez minutos.

–¡Diez minutos! Yo creía que esta mañana estabas en Atenas.

–Lo estaba. Mi reunión fue a primera hora de la mañana. Terminó temprano y pude tomar el ferry de vuelta a la isla. En estos momentos estoy a poca distancia de tu hotel. Ya te he dicho que he ido a ver a Theo.

–Andreas, no voy a estar lista...

–En ese caso esperaré... pero no mucho tiempo, así que date prisa.

Andreas colgó el teléfono. Carrie se lo apartó de la oreja y lo observó como si fuera un ser vivo. ¿Cómo se atrevía a dar por sentado que ella iba a aceptar su invitación? ¿Acaso se había hecho una idea equivocada sobre ella por la insistencia de Jo en que salieran juntos? Si creía que era una mujer desesperada, muy pronto le haría ver lo equivocado que estaba. No pensaba salir con él. Cuando Andreas llegara para recogerla, ella seguiría allí sentada leyendo su libro.

Lo recogió y se ajustó el sombrero sobre los ojos. Entonces, trató de concentrarse en la página que estaba leyendo. Sin embargo, sólo podía pensar en Andreas. ¿Por qué había decidido llamarla de repente?

A lo mejor debía tragarse su orgullo y salir con él. Sentía una cierta curiosidad...

Se odió por su debilidad. La noche anterior, Andreas le había dejado muy claro que no estaba interesado en ella. Seguramente había accedido a salir con ella para contentar a su hermano.

Miró por encima de las páginas del libro cuando oyó que un vehículo se detenía en el exterior. Unos instantes después, vio a Andreas entrando por la puerta principal de la finca. Tenía un aspecto magnífico. No había otro modo de describirlo. Iba vestido con una camisa de lino y unos pantalones de color tostado. A pesar de tratarse de ropa informal, su apariencia era elegante y sofisticada.

Inmediatamente, Carrie deseó haber entrado en su apartamento para cambiarse.

–Ah, ahí estás –dijo él, al verla. Abandonó el sendero y cruzó la hierba para dirigirse hacia el lugar en el que ella estaba.

Carrie trató de fingir que no lo había visto hasta que él se detuvo a su lado. Andreas era muy algo y esto, combinado con el hecho de que ella sólo llevara biquini le hizo sentirse de repente muy pequeña a su lado. Dobló las rodillas hacia el pecho todo lo que pudo en un intento de ocultarse a él. Se dio cuenta de que no le servía de nada cuando comprobó que él le contemplaba las largas piernas con una mirada de admiración masculina.

–No sé qué estás haciendo aquí, Andreas –murmuró ella.

–¿No? Pensé que te lo había explicado cuando hablamos por teléfono –replicó él.

–Y yo pensé que habíamos solucionado esta situación anoche –repuso ella con rapidez–. Theo y Jo tenían buenas intenciones, pero no creo que nos debiéramos sentir obligados a pasar tiempo juntos sólo para agradarlos.

–¿Es eso lo que crees? Te aseguro que jamás hago nada que no quiera hacer –afirmó Andreas levantando una ceja.

–Bueno, pues anoche te presentaste aunque no querías hacerlo.

–Sí, por curiosidad. Tienes razón al pensar que tengo muy buena opinión de mi hermano, pero eso de salir con él sólo para agradarlo... Te aseguro que jamás haría algo así.

–Sí, bueno, yo siento exactamente lo mismo en lo que se refiere a Jo. Así que dejémoslo así.

–Bien. Me alegro de que pienses como yo porque eso significa que podemos ser sólo amigos, ¿verdad? De todos modos, yo no quiero relaciones serias. No quiero complicaciones ni tengo tiempo para ellas, en especial en estos momentos.

–Yo tampoco –replicó Carrie–. Estoy de vacaciones para relajarme después de haber estado estudiando mucho para mis exámenes. Además, dentro de nueve días empiezo a trabajar en Londres.

–Por lo tanto, los dos nos merecemos divertirnos un poco...

Carrie quería preguntarle que a qué clase de diversión se refería, pero no se atrevió a hacerlo. Le parecía demasiado peligroso.

–En resumen, lo que ocurre es que esta tarde no tienes nada que hacer –dijo, por fin.

–Tal vez.

–En ese caso, tendré que consultar mi agenda. Estoy muy ocupada, Andreas...

–Sí, ya lo veo –comentó él, con una sonrisa.

Miró el libro que Carrie tenía en las manos y se lo quitó. Al principio, ella pensó que simplemente se lo estaba quitando, pero al ver que él sencillamente lo daba la vuelta y se lo devolvía, se dio cuenta de que lo había estado sujetando al revés. Se sonrojó profundamente.

–Se me ha caído hace unos instantes...

–Sí, claro. Evidentemente, es un libro muy emocionante.

–Lo es... pero supongo que podría alejarme de él durante unas horas. Sin embargo, no estoy muy segura sobre lo de ir al arrecife. Como te expliqué anoche, no soy buena nadadora.

–Bueno, podemos ir navegando hasta allí, comprobar tus habilidades y luego decidimos. ¿Te parece?

–Me parece bien.

–Estupendo. Si no quieres nadar ni bucear, puedes vigilar el barco mientras lo hago yo. No tienes que hacer nada que no quieras hacer.

–Ah, genial. Así que ahora simplemente soy la que se ocupa de vigilar que no se acerquen los tiburones, ¿no?

–No. Te voy a ascender. Puedes ser la encargada del bar –sugirió.

–Vaya, gracias –comentó ella, riendo–. Dame un minuto para que vaya a cambiarme.

–Estás bien así –dijo Andreas.

Carrie llevaba puesto un biquini rojo muy sexy que resaltaba su increíble figura: altos y firmes pechos, estrecha cintura y esbeltas caderas.

–Basta con que te pongas unos pantalones cortos y una camiseta –añadió, mientras recogía estas prendas de los pies de la hamaca y se las lanzaba a Carrie.

Ella las atrapó instintivamente.

–Pero todo mi dinero está en la caja fuerte del apartamento. Necesito ir a buscarlo.

–No necesitas dinero –repuso él. Cuando Carrie se quitó el sombrero, observó atentamente cómo el cabello le caía sobre los hombros y le llegaba casi hasta la cintura tras realizar el movimiento de una dorada y sedosa ola.

Era tan hermosa que a Andreas le costaba apartar la mirada de ella. Tenía el cuerpo delgado y un vientre liso que ansiaba tocar para poder deslizar las manos sobre la sedosa textura de su piel. Mientras Carrie se ponía los pantalones cortos, lo miró brevemente. En los ojos se le reflejaba una mirada vulnerable, pero, a la vez, llena de fuego. Era la misma mirada que ella le había dedicado la noche anterior. Carrie lo intrigaba.

No había muchas mujeres que ejercieran ese efecto sobre él y Andreas podía decir con toda certeza que había habido muchas mujeres en su vida. Él las había disfrutado, aunque sin engañarlas sobre sus intenciones. No tenía intención alguna de comprometerse con una relación de verdad. Lo había estado en el pasado y no quería volver a repetir.

En aquel momento, no había ninguna mujer en su vida. Necesitaba concentrarse en las complicadas negociaciones del acuerdo de absorción. Había abandonado su vida social sin pensárselo dos veces. Estaba completamente centrado en sus negocios.

O, más bien, lo había estado hasta aquella mañana cuando, durante una reunión del consejo, se había sentido distraído de repente por los pensamientos que Carrie evocaba en él.

Tampoco había podido dejar de pensar en ella en toda la noche. A sus ojos, Carrie suponía una embrujadora mezcla de inocencia y provocadora pasión. A pesar de que no había hecho más que decirse que era mejor mantenerse al margen, no había podido.

En aquel momento, debía estar en una reunión con sus contables, no allí, con Carrie. Se excusó diciéndose que se merecía una tarde libre. Se divertirían juntos y, al día siguiente, él volvería a centrarse en sus negocios.

Andreas le había recomendado que se dejara la camiseta puesta para proteger su delicada piel del ardor del sol mientras buceaban. Él, por su parte, sólo llevaba puesto bañador. Carrie observó cómo él se zambullía limpiamente en las apacibles aguas de color turquesa. Parecía un atleta. Poseía un cuerpo perfecto, con una piel del color de la miel. Desapareció durante un momento bajo el agua del mar y luego volvió a aparecer.

–Está bien. Te toca.

–¡Qué gracioso eres! Yo no sé tirarme así.

–En ese caso, vete a la plataforma y deslízate suavemente en el agua. No te preocupes. Yo te ayudaré si tienes dificultad.

Carrie no sabía qué le aceleraba más los latidos del corazón. Si el hecho de que Andreas pudiera rodearlo con sus brazos o las vastas profundidades del mar.

–Vamos. Está buenísima.

Carrie respiró profundamente y se dirigió a la escalerilla del barco para entrar en el agua.

–¡Dios! ¡Está muy fría!

Andreas se echó a reír y se acercó a ella.

–No, no está fría. Es tu piel la que está muy caliente.

Carrie parpadeó. Él estaba tan cerca... Se percató de

lo largas y espesas que tenía las pestañas y lo sensual y provocadores que resultaban sus labios. Ansiaba poder tocarlo, pero prefirió alejarse de él nadando.

–Bueno, ¿dónde está el arrecife?

–Un poco más allá –dijo Andreas mientras tomaba las gafas de bucear que había dejado en la plataforma del barco e iba tras ella.

Cuando llegaron a la zona del arrecife, Andreas le mostró cómo utilizar las gafas y el tubo de respiración y permaneció a su lado hasta que Carrie se sintió más segura. Para entonces, ella se sentía ya completamente enamorada del mundo submarino que Andreas le había llevado a conocer.

El arrecife era espectacular. A Carrie le pareció tan maravilloso que se sintió algo desilusionada cuando Andreas le dijo que había llegado el momento de volver al barco.

–Ha sido fabuloso –comentó mientras subía a la plataforma del barco ayudada por Andreas.

–Entonces, te alegras de haberlo hecho, ¿verdad?

–Mucho. No me lo habría perdido por nada del mundo.

–Efectivamente, parecías estar disfrutando. De hecho, parecías una sirena nadando con el cabello extendido sobre la espalda.

–Bueno, a menos que esta camiseta se seque rápido, voy a parecer un pez fuera del agua cuando volvamos a casa.

–Yo te puedo prestar una camiseta, aunque debo decir que la camiseta mojada también te sienta muy bien.

Carrie se distrajo por aquel inesperado cumplido y resbaló. Inmediatamente, él la agarró. Durante el más breve de los instantes, la sujetó contra las poderosas líneas de su atlético cuerpo.

Entonces, la soltó.

–Lo siento mucho. Me he resbalado –dijo ella, tratando de sonreír aunque el contacto físico con Andreas le había quitado el aliento y le había llenado su ser de una peligrosa excitación–. Supongo que ahora deberíamos regresar a la isla.

–Supongo que sí. Tengo que trabajar.

Sin poder evitarlo, Andreas contempló cómo la húmeda camiseta se le moldeaba al cuerpo. Ansiaba poder quitarle la camiseta y desabrocharle el biquini para que sus labios y lengua pudieran explorar aquellas cálidas y húmedas curvas.

Deslizó los ojos hasta el rostro de Carrie y se encontró con los de ella. De repente, una pasión desatada prendió entre ellos. Carrie sintió cómo el deseo se apoderaba de ella, un deseo tan intenso que la dejaba completamente sin poder de reacción. Presa del pánico, se dio la vuelta, pero Andreas le agarró la mano y la volvió de nuevo hacia él.

Antes de que Carrie pudiera reaccionar, se vio en brazos de Andreas. Inmediatamente, él la besó, poseyéndole los labios con un poderoso gesto.

Nadie había besado nunca a Carrie con tanta autoridad. Dudó durante un instante y, entonces, el placer explotó dentro de ella. Resultaba tan agradable. Era como si él se estuviera extendiendo por el interior de su cuerpo, llegando hasta el mismísimo lugar en el que se almacenaban los secretos de su alma.

Carrie le devolvió el beso. Mientras lo hacía, era consciente de que las manos de él se le estaban deslizando por debajo de la camisa húmeda y comenzaban a acariciarle la piel.

La sensación de placer era tan exquisitamente irresistible que ella ansiaba mucho más. Ansiaba librarse de toda la ropa que llevaba puesta para que no hubiera barrera alguna entre ellos. En lo único en lo que podía pensar era en lo mucho que lo deseaba.

–Llevo queriendo hacer esto desde el momento en el que te volví a ver esta mañana –murmuró él contra el oído de Carrie mientras le deslizaba la mano sobre el trasero y la estrechaba contra la potente excitación de su cuerpo.

–Y yo que creía que lo único que querías era que fuéramos amigos.

–Bueno, también quiero eso... lo quiero todo... Todo lo que tú quieras darme –susurró Andreas, mientras le deslizaba la mano sobre las caderas y se detenía justo por encima de la tela que cubría la dulce feminidad de Carrie–. Soy así de avaricioso.

Carrie gimió suavemente de placer cuando él volvió a besarla. Ella también se sentía avariciosa e impaciente. Trató de decirse que no conocía de nada a Andreas, que debía tener cuidado porque aquello no era más que una romance de vacaciones. ¿De verdad quería que su primer encuentro terminara de aquella manera?

–Tal vez deberíamos entrar para poder ponernos más cómodos –sugirió Andreas mientras la acariciaba aún más sugerentemente.

Carrie no pudo responder ni pronunciar palabra alguna. Los labios de Andreas le recorrían el cuello con delicados besos. Ella sólo pudo abrazarse a él con más fuerza. Andreas le separó las piernas. De repente, ella se dio cuenta de que, si no decía nada, él la poseería allí mismo, en aquel instante...

El pánico se apoderó de ella. Se quedó completamente rígida e inmóvil. Inmediatamente, Andreas se apartó.

–¿Qué ocurre? –le preguntó él mirándola a los ojos–. Has hecho esto antes... ¿verdad?

Al ver que Carrie no respondía, comprendió lo que ocurría. Se avergonzó al pensar que, tal vez, había sospechado su inocencia desde el principio, cuando notó lo fácilmente que ella se sonrojaba o la manera en la que, en ocasiones, evitaba su mirada. Incluso el modo tan tímido en el que, al principio, había respondido a sus besos.

–Eres virgen –dijo. Entonces, murmuró algo en griego mientras le bajaba la camiseta que le había subido para acariciarla.

–Andreas –susurró ella. Al ver que él se apartaba de ella, sintió como si la sangre se le estuviera convirtiendo en agua helada en las venas.

–Carrie... Esto lo cambia todo....

Ella frunció el ceño. No le gustaba aquella conversación. Lo único que quería era que Andreas volviera a tomarla entre sus brazos.

–¿Sí?

–¡Por supuesto que sí! –exclamó él mesándose el cabello–. Eres joven y hermosa. Evidentemente, has decidido que deseas seguir siendo virgen.

–Sí, bueno... –dijo ella, sin saber adónde quería él ir a parar.

–Eso significa que no te dejas llevar por relaciones sin ataduras... y eso es lo único que yo te puedo ofrecer. Carrie, yo no quiero hacerte daño –añadió, al ver que ella palidecía.

–No, por supuesto que no... Tienes razón. Esto sería un tremendo error...

Se sentía destrozada. No se podía creer lo que había estado a punto de hacer. Evidentemente, aquello sólo sería sexo para él. Y ella había evitado siempre el sexo sin más.

Diablos... Desde que podía recordar, siempre se había prometido que controlaría todas las relaciones que tuviera. Había sido testigo de primera mano de las devastadoras consecuencias que podía tener amar a la persona equivocada.

Tragó saliva y lo miró. Sentía el dolor del orgullo herido.

–Yo no tenía intención de que fuera más allá. Simplemente estaba disfrutando un poco...

–¿De verdad?

–No sé en qué estaba pensando –admitió Carrie.

–Bueno, yo sí sé en qué estaba pensando –susurró Andreas sin dejar de mirarle los labios. Entonces, extendió la mano y le apartó un mechón de cabello del rostro.

–No hagas eso, Andreas. Atribuyamos lo ocurrido a un momento de locura y olvidémoslo. ¿De acuerdo?

Andreas frunció el ceño. No quería olvidarlo, pero tampoco podía seguir...

–Además, dijimos que ahora nos íbamos a marchar a tierra, ¿no?

–Sí. A tierra firme y a la cordura –afirmó él mientras se apartaba de Carrie para dirigirse al puente de mando. Carrie estaba fuera de su alcance. Punto final.

Carrie tomó una de las toallas que Andreas le había dejado y se envolvió en ella. Estaba temblando de frío a pesar de lo mucho que calentaba el sol.

Capítulo 3

CARRIE estaba segura de que el trayecto de vuelta a casa estaría envuelto en un tenso silencio. Así fue entre ellos, aunque Andreas se pasó todo el tiempo hablando por un teléfono que no dejaba de sonar. Contestaba una llamada tras otra con su manos libres mientras conducía por la carretera costera.

Ella no entendía nada de lo que hablaba, pero, evidentemente, todo tenía que ver con sus negocios porque el tono de su voz era serio, duro y conciso.

–Te ruego que me perdones, Carrie. Tengo un equipo completo de contables, pero, a pesar de todo, parece que me necesitan constantemente para que les lleve de la mano –dijo, justo cuando el teléfono volvía a sonar.

–No importa –replicó ella. En realidad, se alegraba. Se moría de ganas de alejarse de él y fingir que aquella tarde no había ocurrido nunca.

Andreas terminó la conversación justo cuando llegaron a la verja del complejo de apartamentos en el que ella vivía.

–Bueno, espero que el asunto de la absorción salga bien. Ya nos veremos –dijo, en un tono lo suficientemente casual. Entonces, se dispuso a salir, pero la voz de Andreas se lo impidió.

–¿No se te ha olvidado algo?

–¿A mí?

–Bueno, yo creo que estaría bien que me invitaras a tomar un café.

Carrie sintió que se le aceleraban los latidos del corazón. No sabía qué hacer. Una parte de ella estaba encantada por lo que él acababa de decir. Sin embargo, la otra, ansiaba marcharse y poder poner fin a aquella agonía.

–No creo que sea una buena idea...

–A mí me parece una idea muy civilizada –replicó él, con una sonrisa–. No creo que debamos sentirnos incómodos el uno con el otro, Carrie. Yo tengo treinta y cuatro años y soy un hombre de mundo. Tú tienes veintidós, eres virgen y yo te respeto por ello.

Carrie y se sonrojó.

–Además, me gustaría que me devolvieras la camisa –añadió, mirando con sorna la prenda que él le había prestado para que se la pusiera. Ocultaba por completo la esbelta figura de Carrie, pero, a pesar de todo, le daba un aspecto muy sexy.

–Te la lavare y se la daré a Theo para que te la entregue.

–No hay necesidad. Devuélvela ahora.

Carrie se sonrojó y salió del coche. Entonces, se volvió a mirarlo.

–Supongo que, en ese caso, es mejor que entres.

Andreas sonrió y salió del coche.

El interior del apartamento contaba con una decoración cómoda, pero agradable. Desde el taburete de la barra de desayuno, Andreas contempló un dormitorio en el que había dos camas. Entonces, se fijó en Carrie, que estaba preparando el hervidor de agua. El cabello se le había secado ya, formando suaves ondas. Parecía una doncella sacada de una pintura romántica, hermosa, delicada y frágil.

–Voy a quitarme la camisa.

Andreas asintió y vio cómo ella desaparecía en el dormitorio y cerraba la puerta. Se marcharía en cuanto hubiera tomado un café y ella le hubiera devuelto la camisa. Los finales felices no eran para él y algo le decía que la inocente Carrie no se conformaría con menos.

Unos minutos más tarde, ella reapareció con una camiseta ajustada de color azul y unos vaqueros. Le dejó la camisa sobre la mesa.

–Gracias.

–De nada –replicó él.

Rápidamente, Carrie se dispuso a preparar café. Andreas no pudo dejar de admirar el buen aspecto que tenía con aquellos vaqueros. Se le ceñían maravillosamente sobre el trasero, enfatizando la estupenda figura que tenía.

No había dejado de desearla. ¿Qué demonios le pasaba? Conocía a un millón de mujeres de cuerpos perfectos. ¿Qué estaba haciendo allí? Debía estar en su despacho, donde le esperaba un montón de trabajo sobre su escritorio.

No obstante, no se levantó. Carrie le intrigaba en aquel momento más que nunca.

Ella le colocó delante una taza de café. Justo en aquel momento, el teléfono de Andreas comenzó a sonar. Él lo contestó con impaciencia.

–Ahora ya sabes por qué te he sugerido hoy que vayamos al mar –le dijo con una sonrisa minutos más tarde, tras dar por finalizada la llamada.

–Theo me dijo que tú jamás dejas de pensar en los negocios –replicó ella mientras se sentaba frente a él–. Supongo que disfrutas con ello.

–Supongo que se ha convertido en un modo de vida.

Nosotros crecimos en Atenas en medio de una completa pobreza y, entonces, yo me juré que no descansaría hasta que nos sacara de ella.

–Algo que, evidentemente, has conseguido.

–Así es, pero lo que ocurre es que, cuanto más te metes en el mundo de los negocios, más responsabilidades adquieres –explicó Andreas. No le comentó que tenía muchos empleados, que apoyaba a Theo en un plan de expansión del negocio de submarinismo ni que le había comprado a su padre una casa en la isla de Mykonos.

–Lo que quieres decir es que los negocios provocan adicción.

–No creo que se pueda decir eso, pero sí que me gustan los desafíos.

–Sí. Y supongo que el hecho de estar soltero y sin hijos facilita esa inmersión en tu trabajo.

–Supongo que sí.

Andreas quedó en silencio tras escuchar el comentario de Carrie.

–Mi padre también tenía sus chanchullos, pero jamás pensó en su responsabilidad hacia los demás –comentó Carrie, frunciendo el ceño–. Siempre estaba buscando el siguiente chollo.

–¿Y tenía éxito?

–Al principio sí, pero desgraciadamente no supo detenerse. El hecho de correr riesgos se convirtió en un modo de vida para él.

–¿Quedó en bancarrota?

–Sí. Se arriesgó demasiado y lo perdió todo –susurró Carrie. Recordó el pasado. Los costes personales habían sido mayores que los económicos. La salud de su madre se había deteriorado y también el matrimonio de ambos. Carrie sólo tenía diez años, pero recordaba el trauma y la sensación de indefensión con tanta fuerza como si hubiera sido el día anterior–. Sin embargo, mi padre jamás dejó de ser un optimista. Seguramente sigue por ahí, buscando el siguiente chollo.

–Había dado por sentado que tus padres habían muerto. Jo me dijo que crecisteis juntas en una casa de acogida.

–Así fue, pero mis circunstancias eran diferentes a las de Jo. Yo no era huérfana. Mi madre murió, pero mi padre decidió irse a buscar fortuna a otra parte y el hecho de tener a una niña de diez años junto a él lo ponía en desventaja. Por eso, me dejó con los servicios sociales. Algunas personas no están hechas para ser padres. Seguramente, a la larga, me hizo un favor.

–¿Y sabes dónde está ahora?

–Creo que está en Estados Unidos. Hace unos años traté de localizarlo y descubrí que estaba en Chicago y que se había vuelto a casar. Dejé mis datos para que se pusiera en contacto conmigo, pero no lo ha hecho nunca.

–Algunos hombres no se merecen tener una familia –musitó Andreas.

–Bueno, todo salió bien porque conocí a Jo y las dos somos como familia. Ella es la hermana que no tuve nunca.

El teléfono de Andreas volvió a sonar. Él lo contestó con impaciencia.

Carrie se terminó el café y trató de no mirarlo. No se podía creer que le hubiera contado todo aquello sobre su familia. Era una locura. Unas veces la enojaba y otras... se sentía como si se pudiera fundir en la calidez de su mirada.

Andreas colgó y la miró.

–Desgraciadamente, tengo que marcharme.

–Sí, por supuesto –dijo. Trató desesperadamente de enmascarar su desilusión. Era lo mejor. No quería ser una más de la larga lista de mujeres que había en su vida. Al menos habían resuelto la tensión entre ellos, por lo que, si volvían a verse por Jo y Theo, la situación sería tolerable.

Carrie lo acompañó hasta la puerta.

–Gracias... por una interesante tarde.

–Tal vez podamos volver a repetirlo en otra ocasión.

–¿Quién sabe? –preguntó ella–. Tal vez, si pasas por aquí en otra ocasión, podamos tomarnos un café entre llamada y llamada.

–Tal vez. Me despido de ti ahora, Carrie, pero estoy seguro de que volveremos a vernos muy pronto.

Con eso se marchó. Se alejó con grandes zancadas sin mirar atrás. Tan arrogante... y tan irresistible.

Capítulo 4

CARRIE abrió las contraventanas azules y dejó que el sol entrara a raudales en el fresco interior de su apartamento.

Era domingo por la mañana, el último día de sus vacaciones. Había llegado el momento de marcharse a casa. Carrie se apoyó sobre el alféizar de la ventana y dejó que el calor y la tranquilidad de la mañana se apoderaran de ella.

Había creído que Andreas iría a visitarla la noche anterior para disfrutar al máximo de sus últimas horas juntos, pero no había sido así. La había estado yendo a visitar a lo largo de los últimos días, cuando él había querido, por supuesto. Carrie no había podido negarse cuando él la invitó a cenar un par de días después de su excursión al arrecife, como tampoco había podido hacerlo cuando la invitó en las ocasiones posteriores. La verdad era que se sentía muy atraída por él y había aprovechado todas las ocasiones posibles por estar con él.

Desgraciadamente, parecía haberse cansado de ella. Carrie no sabía si sentirse triste o enojada. Al menos, podría haber tenido la decencia de telefonearla para decirle que no podía ir a verla antes de que se marchara.

De todos modos, ¿qué podía esperar cuando aquello era tan sólo una aventura de vacaciones y Andreas era un hombre tan ocupado?

Se mesó el cabello y pensó en las vacaciones. Habían ocurrido tantas cosas. La más importante era que Jo y Theo se habían comprometido. Y que Jo había tomado la decisión de instalarse en Grecia. Carrie iba a echar mucho de menos a su amiga, pero se alegraba por ella. Los cuatro salieron a cenar para celebrarlo. Aquélla fue la última vez que vio a Andreas.

Carrie deseó no haberse implicado tanto con él y no haber empezado a creer que él podría sentir algo por ella. Al menos, no había sido tan estúpida como para acostarse con él, aunque no estaba del todo segura que pudiera atribuir aquella decisión a su sentido común.

Se apartó de la ventana y decidió que había sido lo mejor que Andreas no hubiera ido a despedirse de ella la noche anterior. Si lo hubiera visto, tal vez ella habría hecho algo de lo que se habría terminado arrepintiendo.

Había llegado el momento de comenzar a hacer las maletas. Jo iba a ir a recogerla para llevarla a la terminal del ferry dentro de una hora. Casi no se podía creer que su amiga no fuera a regresar a Londres con ella. Le iba a resultar muy extraño no tenerla cerca, pero no le cabía la menor duda de que su amiga estaba haciendo lo correcto. Theo era, sin duda, un hombre agradable y digno de confianza.

No se podía decir lo mismo de Andreas. Éste hablaba del amor y del compromiso como si fueran sentimientos que se debían evitar a toda costa. Evidentemente, había roto muchos corazones, pero se alegraba mucho por lo que le había ocurrido a su hermano.

Carrie no terminaba de comprenderlo. Tampoco quería hacerlo. Además, ninguno de los dos estaba preparado para sentar la cabeza. Andreas estaba completamente centrado en sus negocios y a ella le esperaba un buen trabajo en Londres.

Entonces, ¿por qué se sentía así? ¿Por qué había estado toda la noche esperando que le sonara el teléfono móvil?

Sin saber por qué, recordó el modo en el que Andreas la besaba. El modo en el que le hacía sentirse. Podía hacerla temblar de placer con sólo mirarla. Con un beso, podía conseguir que ardiera de deseo.

Ningún hombre le había hecho sentirse así antes.

Era la clase de hombre que le habría hecho salir corriendo en la dirección opuesta. Sin embargo, el hecho de que la hubiera tratado con respeto y contención la había llevado a imaginarse que significaba algo para él. ¡Qué ingenua! Cuando antes se marchara de allí, mejor.

Había empezado a meter sus cosas en la maleta sin ninguna clase de miramiento cuando alguien llamó a la puerta. Carrie miró el reloj. ¡Jo había llegado antes de la hora! Sintió una profunda pena al darse cuenta de que casi había llegado la hora de decir adiós a su mejor amiga.

–Creía que no ibas a venir hasta dentro de una hora... –dijo mientras abría la puerta. Al ver que no era Jo, sino Andreas, quien esperaba en el exterior, se quedó sin palabras–. Oh... ¡Eres tú!

Andreas llevaba puesto un traje y una camisa sin corbata. Parecía que acababa de salir de una de sus reuniones.

–¡No te esperaba! –exclamó ella mientras se apretaba el cinturón de la bata de seda con la que se cubría–. Creía que era Jo.

–¿Acaso estás desilusionada?

–Simplemente estoy sorprendida –respondió ella, algo irritada por la seguridad en sí mismo que mostraba. Entonces, dio un paso atrás para franquearle la entrada–. Cuando no tuve noticias tuyas ayer pensé que probablemente te habrías olvidado de que me marcho hoy.

–No. No se me había olvidado. Simplemente me tuve que quedar en Atenas por negocios.

–Pues tienes suerte de haberme encontrado aquí –dijo ella–. Me marcho dentro de una hora. ¿Cómo va la absorción?

–No sabría decirte. Aún es pronto.

–Theo me dijo anoche que, en estos momentos, te encuentras en una etapa muy delicada de la negociación.

–¿Sí? –preguntó Andreas encogiéndose de hombros.

Aquella actitud tan relajada escoció a Carrie. La noche anterior, había sospechado que Theo estaba excusando como podía la ausencia de su hermano.

–Espero que ese negocio te salga bien, pero ya sabes lo que pienso de las empresas arriesgadas.

Andreas parecía divertido.

–Bien, por suerte no he venido a hablar de mis estrategias empresariales contigo.

–¿No? –replicó ella, levantando la barbilla–. Entonces, ¿para qué has venido?

Para su sorpresa, Andreas extendió la mano y le agarró el brazo para acercarla a él.

–He venido para esto...

Antes de que Carrie pudiera reaccionar, Andreas bajó la cabeza y le capturó los labios con los suyos con un fiero y posesivo beso. Ella trató de no responder, pero... Andreas sabía besar tan bien y ella lo deseaba tan desesperadamente que, antes de que se diera cuenta de lo que estaba haciendo, le estaba devolviendo el beso desesperadamente.

Lentamente, comenzó a enredarle los brazos alrededor del cuello.

–Eso está mejor –murmuró él con satisfacción mientras le acariciaba con una mano la seda de la bata y se encontraba con la suave curva de uno de los senos–. Esto es nuestro asunto inacabado... Todo lo demás no importa.

Carrie cerró los ojos presa del éxtasis cuando Andreas la acarició provocativamente. Sin embargo, a pesar de que el placer había comenzado a apoderarse de ella, no había dejado de pensar. Por supuesto que todo lo demás importaba. Por mucho que Carrie deseara lo que estaba ocurriendo en aquellos instantes, no podía olvidarse de la realidad. Andreas había estado dos días sin prestarle atención alguna, ni siquiera por medio de la cortesía de una llamada de teléfono, y tenía su billete de avión encima de la mesilla de noche.

Estos pensamientos la ayudaron a apartarse de él y a cerrarse la bata para ocultar el cuerpo desnudo.

–Andreas, me marcho en menos de una hora.

–Sí. Eso ya lo sé, pero, como te decía, hay un asunto inacabado entre nosotros...

Se había distanciado a propósito de ella durante los dos últimos días. Se había asegurado que era por el bien de Carrie y también por el suyo propio. Ella era tan joven... Tenía toda la vida por delante y, si se quedaba allí y los dos comenzaban una relación seria, Carrie buscaría muy pronto un nivel de compromiso que él no estaba dispuesto a darle.

Andreas se sentía en un cruce de caminos. Había tenido una relación especial en el pasado en una ocasión, relación que había sido un tremendo error. No iba a volver a cometer la misma equivocación.

–Andreas, creo que no me has escuchado bien. Me marcho a Inglaterra dentro de una hora.

–Lo sé. ¿Por qué no rompes el billete y te quedas aquí?

Carrie lo miró fijamente. Durante unos segundos no pudo pensar. Entonces, recordó que él le había dicho que sólo podía ofrecerle una aventura pasajera... y recordó cómo ella se había pasado dos días pegada al teléfono esperando que Andreas llamara. Si aceptaba aquella propuesta, sabía que ocuparía el segundo lugar en el corazón de Andreas después de sus negocios. Trató de apartar sus miedos, pero su lado más sensato no se lo permitió.

–¿Por qué? ¿En qué estás pensando? ¿En qué papel quieres que me quede?

–Me parece que es evidente. Te deseo, Carrie. Te deseo en mi cama. Quiero enseñarte todo lo referente a hacer el amor... mañana, tarde y noche. ¿Te he contestado de un modo suficientemente claro?

Carrie lo escuchó atentamente. Ella también lo deseaba, pero las palabras que Andreas había pronunciado no habían servido para disipar las dudas que la atenazaban. De repente, se dio cuenta de que había estado esperando que Andreas le dijera que sentía algo por ella y que había comenzado a enamorarse. ¿Cómo podía ser tan ingenua? Acababa de comprender que sentía algo por Andreas que era ya tan profundo que no podía deshacerse de ello.

Él no tenía tiempo para sentimientos profundos. Estaba demasiado ocupado poniendo todas sus energías en su negocio. ¿De verdad podía ella dejar el buen trabajo que la estaba esperando en Londres a cambio de aquella clase de incertidumbre?

–Lo siento, Andreas... pero creo que sería mucho mejor que regresara a Londres –dijo, muy a su pesar.

Durante un segundo, la sorpresa se reflejó en los ojos de Andreas. Resultaba evidente que había esperado que ella aceptara sus condiciones sin promesas de ningún tipo. Su arrogancia era increíble.

–Al contrario de ti, a mí no me gusta correr riesgos –añadió–. Se me ha ofrecido un excelente trabajo en Londres, un trabajo que llevo mucho tiempo queriendo tener. Aunque sólo esté allí un tiempo, necesito aceptar ese trabajo. Además, puede que también necesitemos un poco de tiempo para pensar las cosas. Tú estás completamente absorto en lo de esa absorción. ¡Quién sabe lo que sentiremos el uno por el otro dentro de, digamos, seis meses!

–Te gusta tomar el pelo a la gente, ¿verdad, Carrie? Lo que realmente me estás diciendo es que quieres mantener abiertas tus opciones.

–¡Eso no es en absoluto lo que estoy diciendo! –exclamó ella, roja por la ira–. Vamos, Andreas. ¡No puedes lanzarme esa acusación! Tú estás completamente centrado en ese acuerdo tuyo. Tú mismo me has dicho que no quieres una relación. Sólo quieres llevarme a la cama porque...

No pudo seguir la frase. La vergüenza se lo impidió.

–Porque eres virgen. Tienes razón –dijo él–. Valoro mucho el hecho de que seas virgen –añadió mientras le agarraba la barbilla con una mano–. Y te he respetado por ello. Sin embargo, eso tú ya lo sabes, ¿verdad? Y lo has utilizado en tu beneficio.

–No sé lo que quieres decir.

–Bueno, pues deja que te lo explique. Si estás esperando a que te proponga matrimonio, no voy a hacerlo. No te puedo ofrecer esa clase de compromiso. No soy esa clase de hombre.

–Pues me alegro mucho, porque yo tampoco soy esa clase de mujer –le espetó ella con furia–. Te habría rechazado de pleno. ¡No quiero que tú me propongas matrimonio! Soy una mujer inteligente, no una ingenua. Además, apenas nos conocemos, por el amor de Dios.

–En ese caso, me alegro de que los dos pensemos de igual manera. Sé muy bien que eres una mujer inteligente, Carrie. Como también sé que me deseas...

Así era. Una parte de Carrie quería aceptar lo que él le ofrecía. ¿Para qué? Ciertamente no quería que él le propusiera matrimonio, pero lo necesitaba emocionalmente más de lo que él parecía dispuesto a darle.

Carrie odiaba su fría arrogancia. Odiaba el modo en el que podía mirarla y decirle sin pestañear que sólo la quería en su cama y que eso la excitara de todos modos.

Si se quedaba en Grecia, podría terminar siendo una mantenida que dependiera de él para todo. Ni siquiera podría tener un buen trabajo porque no hablaba griego. Entonces, él simplemente podría descartarla a favor de su siguiente conquista cuando se aburriera de ella y Carrie se quedaría completamente desprotegida.

Respiró profundamente.

–No nos hemos conocido en el momento adecuado, Andreas. Los dos lo sabemos.

El hecho de que Carrie pudiera mirarlo a la cara con tanta emoción, con tanta necesidad, y rechazarlo de todos modos, le recordaba a Andreas cosas de las que no quería acordarse. No tenía derecho a pedirle que cubriera necesidades suyas cuando él jamás podría cubrir las de ella.

Había cometido un error al ir a verla. Pedirle que se quedara allí había sido una locura. Aunque sólo fuera su amante, la relación que tendría con ella sería más profunda de lo que hubiera querido nunca. Era mejor terminar allí mismo. De hecho, debería haberlo hecho días atrás. Tenía que quemar todos los barcos y olvidarse de ella.

–¿Y cuándo creerías tú que es el momento adecuado? ¿Cuando haya dado por finalizada la absorción? ¿Acaso estás pensando en vender tu virginidad al mejor postor?

–¡No me puedo creer que acabe de decir eso!

–No te preocupes, Carrie. Nos hemos divertido un poco. Tenías razón. Tu inocencia me intrigaba. Admito que te deseaba y lo sabes y, a pesar de lo que digas ahoga, tú también me deseabas a mí.

–Te aseguro que no me quedaría aquí ni aunque las ranas criaran pelo. No sería tan estúpida como para ponerme en manos de alguien como tú –le espetó ella con furia.

Andreas sonrió.

–En realidad, eso no es cierto. Sé que te podría haber tenido si hubiera querido. En cualquier momento.

Con eso, se dio la vuelta y se marchó. Carrie se quedó muda de rabia.

Capítulo 5

Dos años más tarde...

CARRIE estaba de pie en cubierta mientras el ferry cortaba las olas del brillante mar azul. En la distancia, se distinguía ya la silueta de la pequeña isla de Pyrena. Al verla, los recuerdos se apoderaron dolorosamente de ella.

Habían pasado ya dos años desde la primera vez que fue allí acompañada de Jo. Aún podía recordar todos los detalles de aquel verano tan nítidamente como si hubieran ocurrido el día anterior.

Resultaba difícil pensar que Jo no iba a estar esperándola en el muelle.

Aunque habían pasado separadas gran parte de los dos últimos años, el fuerte vínculo de amistad que las unía no se había roto nunca. Jo no había dejado de formar parte de su vida gracias al teléfono, a los correos electrónicos... Carrie había vuelto a la isla para visitarla en tres ocasiones y, en cada una de ellas, Jo había estado esperándola con impaciencia.

Carrie no podía creer que hubiera muerto.

La isla estaba cada vez más cerca. Carrie podía distinguir las montañas, las calas y el impresionante paisaje que, inevitablemente, le recordaba a Andreas.

Carrie prefirió no pensar en eso. No quería pensar en Andreas. Incluso aunque las circunstancias de su visita fueran más felices, los recuerdos que tenía de él siempre la entristecían, lo que era una locura considerando que no había significado nada.

La última vez que Carrie visitó la isla fue poco después del nacimiento de Lilly, la hija de Jo y Theo, hacía seis meses. La pareja estaba radiante de felicidad y parecía más enamorada que nunca. El bautismo de la niña había sido sólo hacía tres semanas y había sido un momento de celebración y de felicidad al que Carrie no había podido acudir. Por entonces se estaba ocupando de un contrato muy importante y su jefe se había negado a darle días de vacaciones. Además, había tenido que marcharse a Hong Kong. Sin embargo, como Jo quería que ella fuera la madrina de su hija, lo había organizado todo para que así fuera a pesar de su ausencia. Para Carrie había supuesto un gran honor y se había tomado su responsabilidad muy seriamente.

Al regresar de Hong Kong había una carta esperándola en su casa. En ella, se le explicaba que Jo y Theo habían sufrido un accidente de coche en el que los dos habían fallecido en el acto. La carta estaba fechada de cuatro días después del bautizo.

Los ojos se le llenaron de lágrimas. Desde que recibió la noticia, no había hecho más que llorar. Sin embargo, decidió que había llegado el momento de ser práctica por el bien de Lilly.

Jo y Theo no tenían más familia que Andreas. Lilly estaba con él en aquellos momentos. Sin embargo, a Carrie le preocupaba la situación porque, como ella bien sabía, Andreas no era un hombre de familia y no creía que un bebé de seis meses pudiera encajar en su vida de soltero. Además, parecía que seguía tan implicado como siempre en sus negocios. ¿Qué sería de Lilly, huérfana y sola?

Esta cuestión había preocupado tanto a Carrie que le había impedido dormir. De hecho, le había pedido el número de teléfono al abogado que se ocupaba de todo y lo había llamado para ver si podía responderla.

Había sido el primer contacto que tenía con él desde hacía más de dos años. La conversación había sido muy tirante. Sólo pensar en ella hacía que le subiera la temperatura. Andreas se había mostrado muy displicente con ella. Le había dicho claramente que no había motivo para que ella regresara a Pyrena y que la niña no era asunto suyo.

El ferry comenzó las maniobras de acercamiento al puerto. Si Andreas creía que se iba a mantener alejado de la niña porque él se lo dijera, estaba muy equivocado. Lilly era muy importante para ella y se iba a asegurar de que la pequeña se encontraba bien. Al no tener vínculo de sangre con Lilly, no estaba segura de qué clase de derechos tenía. Como tío de la niña, seguramente a Andreas se le nombraría tutor. Sin embargo, por la memoria de su amiga, sentía que debía hacer lo que estaba haciendo. Se había reservado una habitación en un hotel cercano al lugar en el que vivía Andreas. Así, podría ir evaluando la situación e iría paso a paso.

El ferry terminó de atracar. Carrie tomó su maleta y comenzó a descender del buque por la pasarela con el resto del pasaje.

Al llegar al muelle, sintió una enorme sensación de tristeza. Casi había esperado encontrarse allí a Jo, saludándola con la mano y con una sonrisa en los labios. No era así.

Miró a su alrededor buscando un taxi, pero no se veía ninguno. Le costaba andar con sus altos zapatos de tacón sobre el desnivelado terreno. Se había marchado al aeropuerto después de una reunión que se había prolongado más de lo esperado. Vio que había un autobús al final del muelle. Se detuvo a preguntar.

–¿Va usted a Phiorioous? –le preguntó al conductor. Evidentemente, el hombre no comprendía. Lo mismo le ocurrió con una anciana que iba sentada detrás de él con unas gallinas cacareando en una cesta.

Carrie dejó su maleta en el suelo y miró a su alrededor. Poco a poco, el puerto parecía estar quedándose vacío a medida que el ferry volvía a alejarse de la orilla. Trató de comunicarse de nuevo con el conductor.

Fue entonces cuando Andreas la encontró. Durante un instante, se limitó a observarla desde la distancia. No se podía creer lo mucho que había cambiado. La Carrie que había conocido dos años atrás iba siempre vestida con camisetas y pantalones cortos. Era una mujer natural, de aspecto algo masculino aunque muy sensual. La Carrie que estaba viendo en aquellos momentos era tan sofisticada que, durante un instante, no se había dado cuenta de que era ella. Sólo se había parado a mirarla por encontrarla tan atractiva.

Llevaba el cabello más corto, con un estilo más moderno, y se lo había recogido. Una falda de lino y una camisa blanca habían sustituido a los pantalones cortos y a la camiseta. Además llevaba unos zapatos de tacón de vértigo que enfatizaban sus largas piernas y las esbeltas curvas de su cuerpo.

–¿Va a Phiorioous? –le dijo lentamente al conductor.

–Creo que no –respondió Andreas–. Además, se pronuncia Persephone.

Ella se volvió lentamente. Lo miró sin decir palabra alguna. No sabía lo que más le había sorprendido, si el hecho de encontrarse cara a cara con Andreas o que él pudiera despertar aún unos sentimientos tan fuertes en ella.

Durante un instante, ninguno de los dos pronunció palabra. Lo primero que Carrie pensó fue que él no había cambiado nada y que tenía un aspecto fantástico. Andreas aún le aceleraba el pulso con fuerza y seguía siendo el hombre más guapo que hubiera visto nunca.

–Hola, Andreas –dijo, por fin–. ¿Qué estás haciendo aquí?

–He venido a recogerte. ¿Qué crees tú que estoy haciendo aquí?

–¿De verdad? –preguntó ella, cortésmente–. Eres muy amable. No esperaba que vinieras a recogerme.

–Carrie, me dijiste a qué hora llegaba tu vuelo a Atenas y sólo hay un ferry después de eso. Por lo tanto, decidí, a pesar de lo que dictaba el sentido común, que me comportaría como un caballero y vendría a buscarte.

–Te aseguro que no te lo dije con intención alguna. Ciertamente, no esperaba que vinieras a recogerme. Además, no comprendo por qué tu sentido común te dictaba lo contrario.

–¿No? Me refería al hecho de que solemos arder como cuando se juntan la gasolina y una cerilla.

Al escuchar aquellas palabras, Carrie se sonrojó.

–No debes preocuparte, Andreas –dijo–. Hace mucho tiempo que he olvidado nuestro pasado. Te aseguro que sólo estoy aquí por un motivo. Lilly.

–Y yo he venido a recogerte por la misma razón.

–Bien, al menos estamos de acuerdo en algo.

–Así es, pero, como te dije por teléfono, no entiendo lo que esperas conseguir viniendo aquí de visita. Sin embargo, como ando algo escaso de niñeras, supongo que me resultarás útil unos días.

–¡Ah! Así que eso es por lo que estás aquí haciéndote el caballeroso. Bueno, déjame que te asegure, Andreas, que espero conseguir muchas cosas viniendo aquí. Soy la madrina de Lily y no voy a permitir que me des de lado como si yo no significara nada. En primer lugar, el abogado de Jo me pidió que viniera por el testamento y te aseguro que tengo intención de cuidar de los intereses de Lilly.

–Me alegro por ti. Espero que puedas conseguir todo eso en una visita de tres días –dijo, con acritud.

–De hecho, voy a quedarme una semana. Tengo intención de quedarme unos días después de la lectura del testamento.

–¡Vaya! ¡Una semana entera! –exclamó él con ironía. Entonces, miró su reloj–. Bueno, Carrie, no tengo todo el día. ¿Vas a aceptar mi ofrecimiento y vas a meterte en el coche o no?

Carrie observó el carísimo descapotable que los estaba esperando. Le habría gustado decirle a Andreas que se fuera al diablo, pero sabía que no debía hacerlo, sobre todo cuando tenían tantas cosas de las que hablar sobre el futuro de Lilly. Además, no disponía de otro medio de transporte.

–Bien, como no hay taxis, supongo que, contra lo que me dicta mi sentido común, voy a aceptar tu oferta.

Durante un segundo, los labios de Andreas esbozaron una sonrisa. No había cambiado nada. Siempre había sido un hombre fiero, temperamental y muy guapo. Con un gesto altivo, tomó la maleta de Carrie. Entonces, a pesar de que lo que había habido entre ellos quedaba en el pasado, la observó de la cabeza a los pies. Sus sensuales curvas seguían siendo perfectas, pero los años le habían dado un mayor atractivo. Parecía haberse convertido en el vivo ejemplo de la feminidad.

–Gracias –dijo ella, después de que Andreas metiera la maleta en el coche. Entonces, abrió la puerta y se sentó en el interior del vehículo antes de volverla a cerrar.

Andreas se quitó la chaqueta y la colocó sobre el asiento trasero antes de arrancar el coche. El silencio se apoderó de ellos. Andreas parecía ser el único hombre capaz de intimidarla. Carrie deseó no seguir encontrándolo tan atractivo. A sus treinta y seis años, seguía siendo un hombre muy atractivo.

Se odió por tener aquel pensamiento y respiró profundamente. Necesitaba concentrarse en por qué estaba allí.

–Entonces, ¿cómo está Lilly?

–Como te dije por teléfono, en estos momentos está bien. La semana pasaba se mostraba muy inquieta. No tenía hambre ni dormía bien.

–Seguramente está echando de menos a su mamá... –susurró ella, con la voz entrecortada por la emoción. Andreas vio cómo trataba de no perder el control–. Aún no he conseguido aceptar todo lo que ha ocurrido –explicó–. Estaba de viaje de negocios cuando todo ocurrió y las primeras noticias que tuve fue cuando regresé a casa hace dos días y encontré la carta del abogado.

Andreas se había preguntado el porqué de su ausencia en el entierro. Se había asegurado de que se le informaba de las muertes y la había buscado por todas partes el día en cuestión. Le había resultado inconcebible que ella no se presentara.

–Es una situación difícil de aceptar –dijo–. Los dos eran tan jóvenes. Les quedaba tanto por vivir...

–Y Lilly lo era todo para ellos.

–Sí...

Andreas pensó en la pequeña niña que tenía a su

cuidado y, durante un momento, pensó en lo extraña que era la vida. Jamás había considerado cuidar de un niño. De hecho, toda su existencia estaba completamente diseñada para no incluir a una familia. Hacía mucho que había abandonado la idea del matrimonio y todo lo relacionado con la vida doméstica. Una mala relación había sido suficiente para comprender qué no estaba cortado para la vida familiar. Por eso, le había sorprendido sumamente el fuerte sentimiento de protección que se había despertado en él cuando una enfermera le puso a la niña en brazos después del accidente. Lilly lo había mirado con tanta confianza en los ojos que la necesidad de cuidarla, de sacarla adelante, lo había dejado completamente abrumado.

–Doy gracias de que la niña no estuviera en el coche con sus padres –murmuró Lilly.

–Lo estaba. Estaba en su silla en el asiento trasero.

Carrie lo miró horrorizada.

–¿Pero está bien?

–Sí. La sometieron a un chequeo muy exhaustivo y no le encontraron ni un arañazo. Evidentemente, es demasiado pequeña para darse cuenta de lo ocurrido, pero creo que tienes razón. Creo que lo que ocurre es que echa de menos a su madre. Jo estaba con ella todo el tiempo.

–¿Quién la está cuidado en estos momentos?

–Mi ama de llaves –dijo él mirando el reloj del salpicadero–. Marcia es estupenda, pero sólo trabaja media jornada porque tiene que cuidar de su anciana madre. Hoy me está haciendo un favor al quedarse hasta más tarde.

–Bueno, pues ahora estoy yo aquí y ayudaré en todo lo que pueda.

–¿De verdad? –le preguntó él. La miró levantando

una ceja y, durante un instante, sus miradas se cruzaron.

Por alguna razón, ella se sintió muy acalorada por dentro.

–Bueno... sí... Te aseguro que sólo pienso en lo que pueda beneficiar a Lily.

–Me alegra saberlo.

Había algo en la voz de Andreas que puso a Carrie ligeramente nerviosa.

Andreas centró de nuevo su atención en la carretera. Se había imaginado que ella se sentiría así. Su hermano le había dicho el cariño que le había demostrado a Lily cuando iba a verla. Este hecho le hizo cambiar de opinión sobre el hecho de que debía mantener alejada a Carrie. Necesitaba a alguien que cuidara a la niña mientras él buscaba una niñera y lo organizaba todo. Carrie lo haría bien. De hecho, estaba seguro de que lo haría muy bien.

Se pararon en el semáforo.

Notó el aroma familiar del perfume de Carrie. Resultaba extraño cómo recordaba el aroma tan bien y con éste, el recuerdo del firme cuerpo... tan cálido y tan inocente...

Se preguntó si seguía siendo virgen y se burló de sí mismo. Carrie tenía veinticuatro años. ¡Por supuesto que no!

Durante un instante, recordó la primera vez que se besaron. Su inocencia y su pasión habían sido una combinación letal. La había deseado tanto... Agarró con fuerza el volante y pensó en los sentimientos que ella despertaba en su interior. Lo difícil que le había resultado apartarse de ella.

Entonces, recordó la mañana en la que había perdido por completo el sentido común y le había pedido que se quedara. Aún se acordaba de la ira que se había apoderado de él cuando ella lo rechazó. De vez en cuando, durante los dos últimos años, había sentido la misma sensación de furia apoderándose de él cada vez que Jo mencionaba su nombre. No comprendía por qué se sentía así. Respetaba su decisión. Tal vez la ira se debía al hecho de que ella le había planteado un desafío y había herido su orgullo de hombre rechazándolo.

Había sido un error el hecho de que le importara que ella fuera virgen. Debería haber aprovechado su ventaja cuando era el momento adecuado. Ella lo deseaba. Andreas había roto sus reservas en más de una ocasión y la había llevado al límite para luego echarse atrás.

–Hace mucho calor, ¿verdad? –murmuró Carrie. Deseaba que el semáforo cambiara de color, que cesara el silencio entre ellos.

Andreas encendió el aire acondicionado y la miró. Vio que tenía los botones de la blusa abiertos y que podía verle el sujetador...

Sexualmente, seguía deseándola. No quería seguir sintiéndose así sobre ella. De hecho, ésa era la razón principal de que no hubiera querido que ella fuera allí.

Tal vez, había llegado el momento de que terminara lo que debería haber dado por concluido hacía dos años.

Carrie era consciente de que él la estaba observando. Trató de no mirarlo, pero algo, mucho más poderoso que ella, la empujaba a hacerlo. La química entre ellos parecía ser más intensa que los rayos del sol.

Trató de convencerse de que todo era producto de su imaginación. Sin embargo, no podía olvidar la primera vez que él la besó. Aquel inesperado recuerdo le cortó la respiración...

–¿Mejor?

Ella lo miró como si no comprendiera.

–¿Ya no tienes tanto calor con el aire acondicionado encendido?

–Ah, sí. Gracias.

Carrie apartó rápidamente la mirada. Se había dado cuenta de que él sabía exactamente el efecto que estaba produciendo en ella. Decidió que debía olvidarse del pasado y concentrarse exclusivamente en Lilly.

El semáforo se puso en verde. Andreas arrancó y siguió conduciendo. Carrie, por su parte, trató de recuperar la compostura. No pudo hacerlo.

Por fin, la costa apareció y, frente a ellos, surgió la pequeña ciudad de Persephone, de un blanco deslumbrante contra el azul del mar y del cielo. Se relajó un poco. Ya estaban muy cerca de su destino.

–Puedes dejarme en cualquier sitio que quede cerca del muelle –le dijo, ansiosa de bajarse del coche–. Tengo una habitación reservada en el hotel.

Andreas pasó por delante del desvío al pueblo, pero no lo tomó.

–Te has pasado el desvío –dijo ella frunciendo el ceño.

–Sí, lo sé. Ésa era mi intención. No hay razón alguna para que te alojes en el pueblo.

–¿Qué diablos quieres decir? He elegido especialmente ese hotel para poder estar cerca de Lilly.

–Bueno, podrás estarlo aún más. Puedes quedarte en mi casa.

–¡No pienso hacerlo!

–Creía que habías dicho que ibas a ayudar en todo lo que pudieras...

–Así es, pero no creo que alojarme en tu casa sea una buena idea.

–¿Por qué no? Yo necesito a alguien que se ocupe de Lilly para poder ponerme al día con mi trabajo. Tú quieres estar con ella. Creo que esto sirve para los dos propósitos.

Andreas notó que el rubor le cubría el rostro y sonrió. Cuanto más intimidada parecía, más le recordaba a él al pasado.

–Para que quede claro, lo único que te estoy ofreciendo es una de mis habitaciones libres, Carrie. Nada más.

–¡No había pensado que pudiera tratarse de otra cosa ni por un solo instante! –replicó ella.

–¿No? En ese caso, no hay necesidad de sonar tan nerviosa, a menos que, por supuesto, quieras compartir mi cama para disfrutar del sexo sin ataduras durante unos cuantos días.

–¡Siempre has tenido un pésimo sentido del humor, Andreas!

–Y tú siempre has sido muy sexy, Carrie –replicó él–. Has madurado muy bien, tengo que admitirlo.

–Creo que debemos volver a lo que de verdad importa. A Lilly.

–De eso estaba yo hablando precisamente. El hecho de que te vengas a vivir a mi casa es la solución más práctica, te lo aseguro.

Carrie dudó. Sabía que la idea tenía sentido, pero el modo en el que él lo preguntaba le daba palpitaciones, en especial por los recuerdos del pasado que aún la turbaban.

–Sólo se trata de algo temporal –añadió él–. No es la solución perfecta, pero funcionará a corto plazo para cubrir todas nuestras necesidades.

El corazón de Carrie palpitaba alocadamente. Quería pasar todo el tiempo que pudiera con Lilly, pero...

no quería estar a solas con Andreas. No. Más que eso. Tenía miedo de estar a solas con él.

Desesperadamente, trató de aplacar su miedo. Resultaba estúpido, ilógico. Cualquier sentimiento que pudiera haber entre Andreas y ella estaba muerto. La química que había creído sentir era imaginaria. Por el bien de Lilly, no se podía permitir considerar la situación de un modo que no fuera completamente realista. Lo que ocurría no tenía nada que ver con ellos, sino con una niña huérfana.

A pesar de todo, no podía dejar de cuestionar la atmósfera que había saltado entre ellos hacía unos minutos... una reacción que había creído olvidada hacía mucho tiempo. Algo que no quería reconocer y a lo que tampoco quería poner nombre. Si lo hacía, convertiría cada segundo que pasara bajo el techo de Andreas en una proposición muy peligrosa.

–Bueno, supongo que tienes razón. Podría ser la solución más práctica para unos días –murmuró ella.

–Exactamente.

Andreas sonrió cuando hizo entrar el coche por la puerta de la verja que rodeaba su casa. «Jaque mate», pensó con satisfacción.

Capítulo 6

EL COCHE tomó una curva y el sendero se abrió por fin para mostrar una magnífica mansión. Carrie abrió los ojos con asombro.

Hacía unos meses, Jo le dijo que Andreas se había comprado una casa fabulosa, pero Carrie no había estado esperando nada tan opulento como aquello. Era la clase de vivienda que aparecía reflejada en los programas de televisión sobre las casas de los ricos y famosos. Se trataba de una ultramoderna casa de dos plantas. Tenía una piscina enorme que se fundía con el azul del Mediterráneo a un lado y al otro un helipuerto.

Andreas detuvo el coche frente a la puerta principal de la casa. En el exterior, hacía un calor insoportable.

–Hermosa casa –comentó ella mientras los dos descendían del vehículo–. Parece que has conseguido todo lo que querías...

–Por el contrario, Carrie. Sigo teniendo desafíos. Ahora, vamos a ver cómo está Lilly, ¿quieres?

El llanto de un niño los recibió en cuanto entraron en el vestíbulo. Siguieron el sonido a través de la hermosa casa, pero Carrie no se percató de ningún detalle. Su atención estaba centrada en encontrar el lugar donde estaba la pequeña Lilly para ver qué era lo que le ocurría.

Al llegar a la habitación de la pequeña, vio que una mujer de mediana edad vestida de negro estaba junto a la cuna. No dejaba de mecerla para tratar de tranquilizar a la niña. Al oír que la puerta se abría, la mujer se dio la vuelta con un gesto de alivio reflejado en el rostro.

–¿Problemas, Marcia? –le preguntó Andreas en griego.

–Lleva una hora llorando. La he tomado en brazos, la he paseado y he intentado darle un biberón, pero no deja de llorar.

Carrie se acercó a la cuna para mirar en su interior. Los ojos de Lilly estaban llenos de lágrimas. Tenía las mejillas enrojecidas y no hacía más que golpear airadamente la cuna con las piernas.

–Hola, cariño... ¿Cómo puede hacer tanto ruido una personita tan pequeña? –le dijo Carrie. Mientras se inclinaba sobre ella, le acariciaba las mejillas con la mano para secarle las lágrimas. De repente, el llanto cesó como por arte de magia. Lilly comenzó a mirarla con unos enormes ojos azules–. Eso está mejor... –añadió. Ella también estaba llorando–. Has crecido mucho desde la última vez que te vi, cielo y... ¿sabes una cosa? Te pareces más que nunca a tu madre.

La niña gorjeó llena de felicidad. Extendió los brazos, como si estuviera suplicándole a Carrie que la sacara de la cuna.

–Menudo éxito has tenido –comentó Andreas, muy sorprendido, al ver la reacción de la niña–. Marcia me estaba contando que lo ha probado todo y que no ha podido conseguir que dejara de llorar.

–Pobrecita –dijo Marcia, en inglés–. Ha estado completamente inconsolable. Y ahora mira.

Todos observaron cómo Lilly sonreía y pataleaba mientras le echaba los brazos a Carrie. Ansiaba que la sacara de la cuna.

–¡Increíble! Estoy seguro de que es demasiado pequeña para acordarse de tu última visita –afirmó Andreas mientras le hacía cosquillas a la niña. La niña echó una carcajada. Evidentemente, también estaba encantada de verlo–. Eres un diablillo, ¿verdad, Lilly?

–Tal vez le guste su acento inglés –sugirió Marcia–. Tal vez usted le recuerde a su madre.

–Puede ser –admitió Carrie.

–Marcia, ésta es Carrie Stevenson –dijo Andreas rápidamente–. Carrie era la mejor amiga de Jo.

–Lo sé. Jo hablaba de usted mucho –afirmó Marcia–. Le acompaño en el sentimiento.

–Gracias –susurró Carrie conteniendo las lágrimas.

–Carrie va a ayudar a cuidar a Lilly unos días mientras yo encuentro a alguien que se ocupe de ella permanentemente. Gracias por cuidarla esta tarde, Marcia. Espero que pronto podamos volver a la normalidad.

–No hay problema –repuso Marcia.

Carrie se preguntó qué era normal en aquella casa. Probablemente Andreas siempre estaba de viaje de negocios y salía con mujeres diferentes todo el tiempo. Tragó saliva al pensar que a Lilly podía terminar criándola una niñera. Podría ser que Andreas tuviera intención de reducir su volumen de trabajo, aunque esto último le parecía poco probable.

–Me alegro de conocerla, Carrie –dijo Marcia, antes de recoger sus cosas y marcharse.

–Lo mismo digo –replicó Carrie.

Mientras Andreas acompañaba a Marcia a la puerta, Carrie centró su atención en la niña. Era muy pequeña e indefensa y se parecía mucho a su madre. Tenía los mismos ojos azules y el mismo cabello rubio.

Lilly sonrió y dio una patada de impaciencia.

–Quieres que te tome en brazos, ¿verdad?

Carrie se inclinó sobre la cuna y sacó a la niña. Había hecho lo correcto en viajar hasta allí. La niña comenzó a buscar y, entonces, Carrie vio un biberón sobre la cómoda.

–¿Tienes hambre? ¿Es ése el problema? –le preguntó. Tomó el biberón y vio que estaba frío–. Vamos a buscar la cocina para darte de comer.

El vestíbulo estaba vacío. A través de una puerta abierta, Carrie podía escuchar a Andreas hablando por teléfono. Probablemente había aprovechado la oportunidad de volver a su trabajo en cuanto había visto la oportunidad.

Siguió avanzando por un pasillo mientras se asomaba a todas las puertas. La casa tenía todo lo que se podía pedir, hasta un gimnasio. Se preguntó si era así como Andreas mantenía su cuerpo perfecto, pero prefirió no seguir pensando por ese camino. No quería pensar en absoluto en el cuerpo de Andreas.

Encontró la cocina en la parte posterior de la casa. Daba a otro precioso jardín en el que había otra piscina. Carrie no supo decidir qué era lo que le había impresionado más, si el exterior o la cocina en la que se encontraba. Era enorme y no se había escatimado nada en su decoración. Contaba con todo lo necesario, pero parecía que no se había utilizado nunca. No se parecía en nada a la cocina de su piso. Había estado trabajando tanto que ni siquiera había podido pensar en cambiar la decoración. De hecho, había tenido tiempo para muy pocas cosas, lo que incluía su vida social, que había terminado desde la relación que tuvo con Mike, que se rompió cuando descubrió que la estaba engañando con su secretaria.

Centró su atención en la tarea de prepararle a la niña su biberón. No quería pensar en Mike. Tenía cosas mucho más importantes en las que pensar. Carrie se acomodó en uno de los taburetes para alimentar a Lilly. La niña se tomó el biberón ávidamente. Durante unos instantes, lo único que se escuchó en la cocina fueron los tragos de la pequeña. Suponían una catarsis para ella. Londres, su ajetreado trabajo y Mike parecían quedar muy lejos.

Besó la dulce cabecita de la niña.

–Ahora, todo va a salir bien, cariño...

¿De verdad sería así? ¿Sabría un hombre soltero cómo cuidar a una niña de seis meses? De hecho, ¿qué sabía ella misma del cuidado de los bebés? Muy poco. No había tenido hermanos, por lo que sabía muy poco del cuidado infantil. Por otro lado, Andreas era muy rico. Probablemente, le resultaría más fácil solucionar el problema.

Sin embargo, cuando miraba a la niña se apoderaban de ella unos sentimientos muy diferentes. El dinero no compraba el amor. ¿Dónde dejaba esto a Lilly?

Su propia infancia había sido muy traumática. La pareja que la había acogido habían sido amables, pero jamás habían mostrado mucho interés por ella. De hecho, si no hubiera sido por Jo, no sabía cómo habría salido adelante.

Al recordar a su amiga, rompió de nuevo a llorar. Miró a la pequeña que tenía en brazos.

–¿Qué vamos a hacer contigo...?

Andreas escuchó la voz de Carrie cuando salió de su despacho y siguió el sonido hasta la cocina. Allí, se detuvo en el umbral de la puerta y observó cómo Carrie le daba a Lilly el biberón. Hablaba a la niña con un tono alegre sobre su madre. No paraba de decirle lo mucho que todos la querían. Para ser una ejecutiva de altos vuelos, parecía muy cómoda en aquella situación.

Se le había soltado el cabello y, así, con éste suelto, parecía muy joven, igual que la Carrie que él había conocido hacía dos años. Sin embargo, era aquella demostración de instinto maternal lo que lo tenía completamente hipnotizado. Decidió que se alegraba de haber puesto a un lado sus reservas. Llevar a Carrie a su casa había sido lo más adecuado. Ella era justo lo que Lilly necesitaba.

En aquel momento, ella giró la cabeza y los ojos de ambos se encontraron. En realidad, Carrie era también lo que Andreas necesitaba. Tanto miedo le producía lo que sentía que decidió que el hecho de desearla tanto se debía tan sólo al hecho de que no se hubiera acostado con ella. Cuando tuvieran relaciones sexuales, esas ilusiones se olvidarían inmediatamente.

–¿Cuánto tiempo llevas ahí de pie? –le preguntó ella.

–Lo suficiente para escuchar que estabais teniendo una buena conversación.

–Simplemente nos hemos puesto al día.

–Pues sea lo que sea lo que estás haciendo, parece que funciona –dijo Andreas mientras se acercaba a ella y se reclinaba sobre la encimera, a su lado.

–Eso espero, pero creo que está muy cansada. ¿A qué hora la acuestas normalmente?

–A las siete.

Carrie dejó el biberón a un lado, pero Lily no protestó. La niña estaba profundamente dormida

–Es adorable, ¿verdad? –susurró Carrie.

–Sí, lo es...

Se produjo un largo silencio entre ellos. Los dos estaban contemplando cómo dormía la niña.

–Ojalá Joe y Theo estuvieran aquí –murmuró Carrie.

–Sí, pero, desgraciadamente, no podemos cambiar el pasado. No podemos hacer nada más que cuidar lo mejor que podamos de Lily.

Andreas le quitó el biberón de la mano y luego retiró el babero que Carrie le había puesto a la pequeña.

–Vamos a llevarla a su dormitorio. Te mostraré dónde está todo.

Carrie asintió y dejó que Andreas le tomara a la niña de los brazos. La condujo a la planta de arriba. Recorrieron la casa a oscuras y en silencio hasta llegar al pasillo en el que estaba el dormitorio de la pequeña.

–He puesto la cuna de Carrie en el vestidor que forma parte de mi dormitorio. Así puedo estar pendiente de ella por la noche.

Carrie contuvo el aliento al entrar en el que era el dormitorio de Andreas. Era un entorno suntuoso, dominado por la presencia de una enorme cama.

–Por aquí.

Carrie trató de no mirar nada de lo que le rodeaba. Estaba tan ocupada tratando de ignorar lo que le rodeaba que estuvo a punto de tropezarse con su propia maleta.

–Andreas, ¿qué está haciendo mi maleta en tu dormitorio? –preguntó con cierta ansiedad en la voz.

–Esta noche vas a dormir aquí –respondió él–. Mañana por la mañana tengo una reunión en Atenas a una hora muy temprana y me vendría bien que tú estuvieras cerca.

–Entiendo –dijo ella, tratando de no parecer nerviosa ni preocupada. Permaneció en la puerta del vestidor, observando cómo Andreas colocaba a la niña tiernamente en la cuna. Había convertido la sala en una habitación infantil haciendo sitio en las estanterías para los juguetes de Lilly. Vio también que su ropa estaba colgada al final del vestidor.

–¿Y dónde vas a dormir tú?

–¿Por qué? ¿Acaso vas a venir a buscarme en medio de la noche?

Vio que Carrie se sonrojaba una vez más y se echó a reír.

–No te preocupes, Carrie. Si me necesitas, no estaré lejos. De hecho, estoy tan sólo al otro lado del pasillo.

–Odio tener que desilusionarte, pero eso no va a ocurrir –replicó ella.

–¿El qué es lo que no va a ocurrir?

La estaba provocando deliberadamente y parecía estar disfrutando mucho con aquel juego. Tenía que reaccionar y no darle esa satisfacción.

–No juguemos a estas cosas, Andreas...

–Es cierto. Hace ya mucho tiempo que dejamos de jugar tú y yo...

Comenzó a dirigirse hacia ella. Carrie, inconscientemente, dio un paso atrás. Había algo en el rostro de Andreas que le aceleró los latidos del corazón.

Se detuvo en seco al darse cuenta de que había caminado hacia atrás más de lo que había pensado. Se encontraba en el dormitorio. La cama de Andreas estaba justamente detrás de ella.

–Ahora tenemos que pensar en Lilly. Nuestra atención debe centrarse completamente en ella, ¿verdad? –le recordó ella.

–Sí. Ciertamente estaría muy bien si pudiéramos trabajar juntos esta semana –dijo. Pasó por delante de ella. Al hacerlo, le rozó un seno con el brazo, lo que provocó una inmediata respuesta de todo el cuerpo–. Necesitarás esto...

Carrie no sabía qué era lo que esperaba que él le diera, pero no fue el montón de ropa blanca que le puso sobre los brazos.

–Son sábanas limpias... para mi cama. A Marcia no le dio tiempo cambiarlas esta mañana. Ha estado demasiado ocupada con Lilly.

–¡Oh! ¡Sí, claro! –exclamó, tragando saliva. Se reprendió por el giro que habían dado sus pensamientos. Andreas simplemente se estaba mostrando práctico–. En realidad, creo que me voy a acostar pronto esta noche.

–¿A las siete de la tarde? –preguntó él. Parecía divertido–. No te estarás escondiendo de mí, ¿verdad, Carrie?

–No seas tonto. ¿Por qué me iba yo a querer esconder de ti? Simplemente estoy cansada. Eso es todo. Esta mañana he madrugado mucho.

–Sí, lo imagino. Desgraciadamente, mañana también tendrás que madrugar con Lilly. Sin embargo, con un poco de suerte, tal vez duerma la noche de un tirón. Anoche lo hizo.

Andreas se acercó a ella e, instintivamente, le apartó un mechón de cabello del rostro. Durante un instante, fue como si el tiempo hubiera vuelto atrás. Carrie se dio cuenta de lo cerca que estaba de él, lo suficiente para dejarse abrazar por él y levantar el rostro para recibir un beso.

Ansiaba tanto hacerlo que le dolía.

–No has cambiado, Carrie. No has cambiado en absoluto –susurró él–. Sigue habiendo química entre nosotros.

–No, Andreas... –susurró–. No creo que esto sea buena idea...

Él no le prestó atención alguna al susurro de Carrie. Bajó la cabeza y le capturó los labios con los suyos. El beso no tuvo nada de dulce. Fue más bien una fiera posesión... Sin embargo, Carrie lo recibió con halago... lo deseaba con una pasión que la abrumaba por completo. Fue como si una especie de locura se apoderara de ella. Se encontró deseando estar más cerca de él. Levantó las manos para deslizárselas por el pecho, por los hombros.

Andreas sintió una profunda satisfacción y, a la vez, una oleada de sentimientos que lo enojaban. No quería considerar lo que estaba experimentando en aquel momento ni la vulnerabilidad de ella. Sólo buscaba saciar la sed que sentía de Carrie. Quería olvidar el pasado, olvidarlo todo, en especial la única razón por la que había estado en lo cierto al dejarla marchar...

Se apartó de ella, dejándola mareada y sin aliento. Carrie lo miró con incomprensión.

–Esto no debería haber ocurrido –susurró ella, con voz temblorosa.

–Más bien, yo creo que debería haber pasado hace ya mucho tiempo. No te tortures por ello, Carrie. Se llama magnetismo animal por una razón. Significa que no tiene que haber sentimiento alguno detrás de lo que se experimenta.

El tono de arrogancia que acompañaba aquellas palabras la obligó a apartarse de él. Sintió una profunda vergüenza al recordar lo apasionadamente que le había devuelto sus besos.

–Esto no tiene nada que ver con el magnetismo ni con lo que sea. Me has pillado con las defensas bajas, eso es todo –replicó, con furia.

–¿Eso fue? –preguntó él, con la mofa reflejada en la voz–. Me alegro de que me hayas aclarado el equívoco.

Andreas la miró lentamente, de arriba abajo, admirando el rubor que le cubría el rostro y sus henchidos labios.

Aquella mirada tan sensual inflamó el razonamiento

de Carrie y, durante un momento de locura, deseó que él volviera a tomarla entre sus brazos y la besara una vez más. Andreas lo notó en sus ojos y sintió que la tensión comenzaba a abandonar su cuerpo.

–Sigues siendo tan hermosa como siempre, Carrie... y estoy convencido de que nos deseamos tanto como siempre. En los viejos tiempos, solíamos atribuirlo a un instante de locura, ¿verdad?

–No quiero hablar de los viejos tiempos, Andreas –le espetó ella. Se sentía avergonzada por haber deseado que él le susurrara palabras románticas al oído y que le hablara de lo que sentía por ella. Andreas sólo deseaba llevársela a la cama–. Y, para que quede claro, no te deseo. De hecho, no siento nada por ti, Andreas –añadió, con amargura–. Nada. Tengo una vida en Londres... un hombre que está enamorado de mí –mintió.

Andreas no pareció afectado.

–¿Y, a pesar de eso, puedes besar apasionadamente a un hombre por el que dices que no sientes nada? Tal vez debas replantearte esa relación en Londres. Tal vez no tenga futuro.

–¡No tengo que pensar nada! –gritó ella con furia–. ¿Cómo te atreves a emitir un juicio sobre algo que desconoces?

–¡Eh! No es asunto mío. Sólo estaba tratando de evitar que cometieras un error. Eso es todo –replicó él lacónicamente.

–Bien, pues no necesito tu ayuda. Muchas gracias.

–Está bien.

Andreas la miró a los ojos durante un instante. Entonces, ella recordó lo mucho que lo había deseado en el pasado. Cómo había estado semanas, meses e incluso años pensando en él después de su breve encuentro.

Andreas tenía razón. Mike jamás le había hecho sentir esa intensidad de sentimientos. Nadie como Andreas había sabido despertar la pasión en ella. Seguía siendo virgen y eso que Mike había sido la relación más larga que había tenido en su vida. Tres meses y no se había sentido nunca dispuesta a acostarse con él. Había esperado sentir a su lado la pasión que Andreas despertaba en ella, pero, simplemente, no había ocurrido.

Trató de apartar estos pensamientos tan turbadores de su cabeza.

–Te besé porque estaba disgustada y tú estabas cerca... Nada más. Así que, creo que lo mejor es que nos olvidemos de lo que ha ocurrido...

–Supongo que habrás oído un viejo refrán que habla sobre el hecho de protestar demasiado, ¿verdad? –dijo Andreas con una sonrisa. Entonces, antes de que ella pudiera responder, se retiró–. Buenas noches, Carrie. Espero que duermas bien.

En cuanto la puerta se cerró, Carrie se sentó en la cama y escondió la cabeza entre las manos. Se odiaba a sí misma por responder de aquel modo ante él, pero la aterradora realidad era que seguía deseándolo desesperadamente...

Si Andreas podía excitarla tan fácilmente con sólo un beso, ¿cómo sería irse a la cama con él?

Capítulo 7

CARRIE no podía dormir. El calor de la noche y la intensa oscuridad le resultaban muy agobiantes. No hacía más que dar vueltas en la enorme cama tratando de no pensar en Andreas ni en el momento de locura que la había llevado a besarlo. Lo atribuyó a la pena que estaba pasando en aquellos momentos y que provocaba que su cerebro no estuviera funcionando bien.

Tampoco quería pensar en Jo y en Theo, porque, cada vez que lo hacía, sentía ganas de echarse a llorar. Ni en Lilly. No quería ni considerar lo que sería crecer en una casa en la que, principalmente, se pagaba a las personas para que cuidaran de ella.

Trató desesperadamente de dejar la mente en blanco para conseguir dormir un poco, pero los pensamientos no dejaban de turbarla. A las cuatro de la mañana, se levantó para ir a ver cómo estaba Lilly. La niña dormía profundamente.

No podía soportar el hecho de que estuviera allí, sin una madre que la cuidara. Carrie conocía ese dolor demasiado bien. Tal vez podría llevársela a casa con ella...

La idea se le ocurrió inesperadamente. Al principio, la descartó. Su trabajo era demasiado absorbente. Probablemente viajaba tanto como Andreas. Sin embargo, al contrario que él, no se sentía completamente abducida por él. Podría buscar otro empleo que no le quitara tanto tiempo. Incluso podría trabajar desde casa como asesor financiero. Así, podría ocuparse de las necesidades de Lilly a tiempo completo.

La idea empezó a echar raíces en ella.

Decidió que podría cambiar su piso, que estaba situado en un buen barrio del centro de Londres, y mudarse más a las afueras. Esto sería mucho mejor para la pequeña Lilly. Tendrían un pequeño jardín y Carrie le pondría a la niña un columpio, habría fiestas infantiles... Las dos serían muy felices. Una niña tan pequeña necesitaba una mamá.

¿Y Andreas? Bueno, él podría ir a visitarla siempre que quisiera. De todos modos, seguramente no querría hacerlo con mucha frecuencia. Estaría demasiado ocupado dirigiendo su imperio empresarial.

Carrie sonrió. De repente, se sentía mucho mejor. Tras tomar su decisión, se inclinó sobre la niña y le dio un beso. Después, volvió a la cama y durmió profundamente durante el resto de la noche.

El llanto de Lilly la despertó. Carrie se sintió desorientada durante un instante. Entonces, recordó dónde se encontraba y saltó corriendo de la cama para ir a ver a la niña. Se puso una bata y se dirigió a la pequeña habitación.

–Venga, venga, ¿qué te pasa, cariño? –murmuró mientras se inclinaba sobre la cuna. Lilly dejó inmediatamente de llorar y le sonrió–. Princesa mía, ¿a qué venía tanto ruido?

–Probablemente necesita un biberón y un pañal limpio, aunque no necesariamente en ese orden.

Al escuchar la profunda voz, Carrie se dio la vuelta. Andreas estaba apoyado contra el umbral de la puerta, vestido con un traje oscuro y una camisa blanca sin corbata.

–¡Me has asustado! –murmuró ella mientras se aseguraba de que tenía la bata bien cerrada–. ¿Qué estás haciendo aquí? ¿Qué es lo que quieres?

–¿Qué crees tú que es lo que quiero? Simplemente he venido a ver que Lilly se encuentra bien.

–Por supuesto que está bien. No tienes ningún derecho a entrar aquí. Deberías haber llamado a la puerta.

–Y he llamado, pero, evidentemente, no me has oído –dijo él. Entró en la habitación y se acercó a la cama–. Buenos días, Lilly. ¿Te vas a portar hoy bien para la tía Carrie? –le preguntó. Le hizo cosquillas y la niña rió feliz–. ¿Durmió bien anoche?

–Estupendamente.

–Me pareció que no escuchaba nada.

–Bueno, claro que no. ¿Cómo ibas a escuchar nada desde el otro lado del pasillo? –preguntó ella. Era muy consciente de que no estaba vestida adecuadamente. La última vez que estuvo cerca de Andreas con una bata puesta...

–Créeme. Después de tres noches sin dormir, tengo el oído tan preparado para oír si Lilly se despierta que estoy seguro que la oiría toser desde mi despacho de Atenas. Bueno, es mejor que me marche ahora. Tengo una reunión a las nueve –dijo, tras consultar el reloj–. Te he dejado anotado el número de teléfono de mi despacho, junto con el de mi móvil, en el despacho. Llámame si tienes problemas.

–Gracias, pero no los tendré.

–Bien.

La miró durante un instante. Estaba tan hermosa, con el cabello revuelto por el sueño... Pensó en el modo en el que había respondido a sus besos la noche anterior y sintió deseos de volver a tomarla entre sus brazos. Estos pensamientos lo irritaron tanto que volvió a mirar el reloj para desecharlos. Aquella mañana, lo primero eran sus negocios. Ya se ocuparía de Carrie más tarde.

–Marcia vendrá a las nueve y media. Te he dejado la rutina de Lilly anotada en la cocina. Si hay algo sobre lo que dudas o necesitas algo, pregúntale a ella cuando llegue.

Aquel tono de voz estaba comenzando a molestarla. ¿Acaso creía que no podía arreglárselas?

–Andreas, me las puedo arreglar perfectamente bien.

–Si no lo pensara así, no dejaría a Lilly en tus manos. No tengo dudas de que la niña está segura contigo.

Carrie sonrió.

–¿Sabes una cosa? Creo que es lo más agradable que me has dicho desde mi llegada a esta casa.

–¿Sí? –replicó él, en tono jocoso.

–Creo que ayer comenzamos con muy mal pie –dijo ella, tratando de no acordarse de todo lo que le había dicho anteriormente.

–Yo no lo diría así.

–Tenemos que olvidar esta locura, Andreas. Debemos sentarnos y decidir qué es lo mejor para Lilly.

–Eso ya lo he decidido yo. Mañana empiezo con las entrevistas para buscar niñera. Ahora, tengo que marcharme.

–En ese caso, ya hablaremos de eso más tarde –sugirió Carrie–. ¿A qué hora llegas a casa?

–A las seis. No, tal vez más cerca de las siete. Hoy tengo muchas cosas que hacer –dijo. Entonces, se inclinó sobre la cuna para darle un beso a la niña–. Hasta luego, preciosa.

Andreas se marchó rápidamente. Carrie se inclinó sobre la cuna y tomó a la niña. Entonces, salió detrás de Andreas. Él ya iba a medio camino por la escalera.

–Andreas, tenemos que hablar de Lilly –le dijo ella.

–No hay nada de qué hablar –murmuró él mientras se ponía una corbata que tenía encima del maletín–, pero puedes estar presente en las entrevistas mañana si esto te hace sentirte más tranquila.

–Gracias, pero no creo que eso vaya a variar mucho lo que siento sobre esta situación –replicó ella.

–Bien, en ese caso, no hay mucho que yo pueda sugerir.

–Yo tengo una idea. Algo que realmente podría resolver los problemas.

–¿Qué clase de idea? –preguntó él, antes de salir por la puerta.

Carrie dudó. De repente, tuvo miedo. Decidió que era mejor afrontar la situación con cautela.

–Ya hablaremos de ello más tarde esta noche, ¿de acuerdo? Prepararé la cena. Nos sentaremos tranquilamente, nos olvidaremos de todo lo pasado y hablaremos de las cosas.

Andreas frunció el ceño.

–¿Me está hablando la misma mujer que se ocultaba de mí anoche?

–No me estaba ocultando. Te dije... te dije que estaba cansada. Eso es todo. Había tenido un día muy largo y... Además, tú no te comportaste demasiado bien.

–¿De verdad? ¿Por qué? ¿Porque te besé y te dije que me deseabas? ¿O porque no seguí con mis intenciones?

–¡Yo no quería que me besaras! ¡Ni... ni nada más!

–Eso no era lo que decían tus ojos... ni tus besos.

Aquella conversación no iba en la dirección que ella quería.

–Olvidémonos de todo eso, ¿de acuerdo? –le dijo–. Hablaremos de Lilly esta noche a las siete y media después de que yo la haya acostado.

–En ese caso, tenemos una cita.

–Yo no la llamaría exactamente así –replicó ella.

–No, por supuesto que no –dijo Andreas con una sonrisa.

Andreas cerró por fin la puerta principal. Carrie vio a través del cristal de la ventana que se dirigía hacia el helipuerto, donde ya lo esperaba un helicóptero para transportarlo a la ciudad. Entonces, vio que se montaba en el asiento del piloto y que hacía volar la máquina.

¿Desde cuándo tenía Andreas la licencia de piloto? Cuando vio el helicóptero el día anterior, había dado por sentado de que tenía un piloto a su servicio.

Lilly llamó su atención estirándosele en los brazos. Carrie le besó la cabecita y le dijo:

–Venga, pequeña. Vamos a prepararte algo de desayunar.

No tuvo mucho tiempo para pensar en Andreas el resto de la mañana. Era increíble lo absorbente que podía resultar cuidar de un niño pequeño. Incluso cuando acostó a la niña para que se tomara su siesta, tenía otras tareas por hacer.

Después de que Marcia se marchara, sentó a Lilly en su sillita y se la llevó a dar un paseo. El día era muy caluroso y tuvieron que refugiarse en varias ocasiones del radiante sol que lucía en el cielo. Cuando regresaron a casa, Carrie se dio cuenta de que la hora de la cena se estaba acercando rápidamente y que ni siquiera sabía lo que iba a preparar para cenar. Por suerte, el frigorífico estaba muy bien surtido. Encontró una pierna de cordero y muchas verduras frescas. Además, Marcia le había dicho que había un pequeño huerto a un lado de la casa en el que podía recoger todas las hierbas aromáticas imaginables.

Tras preparar la cena, pensó en cómo iba a plantearle a Andreas que quería llevarse a Lilly a Inglaterra con ella. Mientras bañaba a la pequeña, decidió que debía hacerlo con cautela. Después de todo, Lilly era su sobrina y, además, Andreas no aceptaría que ella le dijera que la pequeña estaría mejor a su lado. Aunque así fuera. La niña necesitaba una madre, un entorno seguro y estable, no una continua rotación de niñeras. Carrie necesitaba que Andreas entendiera este punto. Estaba segura de que así sería. Después de todo, él estaba completamente dedicado a su trabajo.

Sin embargo, a medida de que el día fue avanzando y comenzó a anochecer, los nervios se fueron apoderando de ella. Cuando por fin metió a la niña en la cama, la tensión era casi insoportable.

¿Y si Andreas le decía que no?

Si él no le daba su consentimiento, no le quedaría más remedio que aceptar su decisión porque no tenía derecho legal alguno para obligarlo.

Terminó de preparar la cena y puso la mesa en el comedor en vez de en la cocina. Entonces, comenzó a preguntarse qué debía ponerse. Tenía un vestido negro, elegante pero muy sexy... Tal vez debía decantarse por unos pantalones cortos y una camiseta. Decidió que no le vendría mal ponerse guapa. Un ambiente relajado podría facilitarle sus intenciones y hacer que Andreas se mostrara más receptivo a lo que tenía que decirle. Entonces, pensó que sería mejor que se concentrara sólo en Lilly y se decantó por los pantalones y la camiseta.

Al final, diez minutos antes de que Andreas llegara a casa, se puso el vestido y bajó. Estaba preparando una ensalada griega de primer plato cuando oyó el sonido del helicóptero.

Rápidamente, repasó por millonésima vez el discurso que había preparado. «Lo he pensado mucho y creo que lo mejor es que...».

Oyó que la puerta principal se abría y escuchó el sonido de sus pasos por el vestíbulo. De repente, él apareció en la puerta.

–Hola, ¿qué tal?

–Bien. ¿Cómo te ha ido?

–He estado muy ocupado –dijo, mirando la escena que rodeaba a Carrie–. Vaya... todo esto es muy... doméstico.

–¿Sí? –replicó ella, tratando de fingir ignorancia–. Bueno, te dije que prepararía yo la cena, ¿no?

–Así es, pero no esperaba que te tomaras tantas... molestias. Además, estás muy guapa –añadió, tras mirarla de la cabeza a los pies.

–Gracias.

Sus miradas se cruzaron y, durante un instante, se produjo un tenso silencio entre ellos. Carrie se sentía ardiendo por dentro. ¿Por qué tenía que haber tanta química entre ellos?

–Bueno, ¿qué tal ha estado hoy Lilly?

–Bien. Ha tenido un día estupendo –susurró, tratando de recomponerse.

–Me alegro. Espero que me lo cuentes todo cuando vuelva a bajar. ¿Cuándo estará lista la cena?

–Dentro de aproximadamente veinte minutos.

–Estupendo. Iré a darle las buenas noches a la niña y me cambiaré de ropa. No tardaré mucho.

–Está dormida, pero tómate tu tiempo. Aquí todo está bajo control.

Cuanto más tardara, más tiempo tendría ella para serenarse.

Terminó de poner la mesa y quedó encantada con

los resultados. Encendió las lámparas del comedor, dado que quería que el ambiente no resultara demasiado íntimo. Por eso no puso velas en la mesa. Era mejor crear un ambiente agradable pero formal.

Mientras esperaba, se asomó a las puertas que daban al patio. La noche era cálida. El único sonido que se escuchaba era el canto de la cigarra y el murmullo del mar. ¿De verdad era lo mejor para Lilly llevársela de allí? La casa era espectacular y mucho más lujosa que lo que ella pudiera darle a la niña. Sin embargo, ni el dinero ni los privilegios proporcionaban la felicidad. Sentirse amada, segura, era lo más importante de la vida.

–Tenías razón. Está completamente dormida –dijo Andreas. Carrie se dio la vuelta y vio que él se había puesto unos vaqueros negros y una camiseta blanca que enfatizaba sus hombros. Parecía relajado y emanaba de él una energía vital que puso los sentidos de Carrie en estado de alerta–. Creo que, en el futuro, voy a tener que intentar llegar a casa un poco más temprano para poder verla más.

El afecto que reflejaba la voz de Andreas hizo que ella se sintiera incómoda. Se aferró al horario de trabajo de Andreas para contrarrestar este sentimiento.

–Tu trabajo requiere mucho tiempo y esfuerzo. Creo que deberíamos hablar sobre esto durante la cena. ¿Por qué no te sientas mientras yo te traigo la cena?

Para su sorpresa, Andreas la siguió a la cocina y la observó mientras ella organizaba los platos.

En cierto modo, aquella escena le divertía. Sabía muy bien que Carrie estaba tramando algo, pero le resultaba fascinante verla en la cocina. Además, tenía un aspecto muy sexy.

Consciente de que él no dejaba de mirarla, Carrie lo miró por encima del hombro y sonrió.

–¿Qué hay de cena? –le preguntó él.

Carrie deseó que él no estuviera mirándola así, como si estuviera desnudándola con la mirada. Con un gran esfuerzo, comenzó a detallar el menú, hablando rápidamente para tratar así de ocultar lo nerviosa que se sentía.

–No sabía que eras una diosa de la cocina.

–¡Y no lo soy!

Andreas observó el modo en el que el cabello se le deslizaba sedosamente por los hombros desnudos. Efectivamente, Carrie era una mujer muy sensual. No había dejado de pensar en ella durante todo el día, pero le preocupaba lo que ella pudiera estar tramando. El vestido negro, la deliciosa cena, la mirada provocadora de aquellos ojos azules...

–No obstante, te aseguro que soy capaz de preparar una buena comida casera –añadió ella, rápidamente, para incrementar sus credenciales para criar bien a Lily.

–¿Sí?

–Por supuesto. Como ya está todo preparado, vayamos al salón.

–Creo que, antes de que lo hagamos, deberías contarme exactamente qué es lo que tienes en el pensamiento, Carrie.

–¿Qué es lo que quieres decir? –preguntó ella, tan sorprendida que estuvo a punto de dejar caer los platos que llevaba en las manos.

–Bien, digámoslo de otra manera. ¿Por qué estás tratando de impresionarme con tus habilidades domésticas?

–No estoy tratando de impresionarte –replicó ella–. Te lo dije esta mañana. Tenemos que relajarnos, hablar francamente y... ¿qué mejor modo de hacerlo que durante una buena cena?

–¿Me estás hablando del dicho ése de que al hombre se le gana primero por el estómago?

–No, no, claro que no. Esto no tiene nada que ver con nosotros, sino con Lilly.

Andreas asintió.

–Está bien. Dime qué es lo que estás pensando para que podamos olvidarnos de ello.

Carrie comprendió que Andreas era demasiado astuto como para dejarse engañar. Suspiró y dejó los platos de nuevo sobre la encimera.

–Está bien, pero, antes de que te lo diga, quiero que me prometas primero que lo pensarás cuidadosamente. Tenemos que pensar primero en Lilly, por encima de ti y de mí.

–No podría estar más de acuerdo. Sigue, por favor. Te estoy escuchando.

Carrie tragó saliva. No le había gustado en absoluto el tono de voz tan duro que Andreas había utilizado.

–Creo que deberías cederme la custodia de Lilly.

Capítulo 8

YA ESTÁ. Se lo había dicho.

Durante un segundo, se produjo un gesto de sorpresa en el rostro de Andreas. Entonces, para consternación de Carrie, él se echó a reír.

–Nunca, Carrie.

–¡Pero si ni siquiera lo has pensado, Andreas! Por favor... Te lo suplico.

–¿Sí? Entonces, ¿te has tomado todas estas molestias de cocinar para mí, de vestirte para mí, para poderte llevar a Lilly contigo a Londres?

–¡No me he vestido para ti! Sólo quería hacer un esfuerzo para que nos pudiéramos relajar un poco y hablar de este tema con tranquilidad. Sinceramente, creo que sería lo mejor para ella. Tú no puedes cuidar de un bebé. Tu trabajo es lo primero para ti. Siempre lo ha sido.

–Al contrario, Carrie. El trabajo solía ser lo primero. Ahora lo es mi sobrina.

–Entonces, ¿significa que lo vas a dejar todo por ella? –le espetó ella–. ¿Vas a dedicarte por entero a crear un hogar para ella en vez de marcharte corriendo a tu despacho todos los días, dejándola a merced de desconocidos?

–¿A merced de desconocidos? Es un modo muy dramático de describirlo. Voy a contratar a una profesional para que me ayude a cuidar de ella. Eso es lo que hacen muchos padres que trabajan.

–¡Ella no necesita una profesional! Es una niña pequeña. Lo que necesita es una madre –dijo, con los ojos llenos de lágrimas. Cuando levantó la mano para secárselas, golpeó los platos y los hizo caer al suelo, donde se rompieron en mil pedazos–. Ahora, mira lo que he hecho. Sabía que deberíamos haber hablado tranquilamente de esto mientras cenábamos.

Se inclinó sobre el suelo para recoger los trozos. Tenía los ojos llenos de lágrimas. Sabía que aquellos arrebatos no le iban a ayudar en nada, pero no podía evitarlo. Todo había ido mal. Andreas ni siquiera estaba dispuesto a considerar sus palabras. ¿Qué oportunidad iba a tener ella de apoyar a Lilly y de amarla?

–Te vas a cortar, Carrie –dijo. Se acercó a ayudarla–. Déjalo. Iré a por un cepillo.

Demasiado tarde. Carrie se había cortado en la muñeca. Unas brillantes gotitas de sangre cayeron al suelo. Andreas la llevó al fregadero para que se enjuagara la herida y luego sacó un botiquín de un cajón.

–¿Te ayudo?

–No, gracias, puedo yo sola. Lo único que quiero de ti es que pienses en lo que te he sugerido para Lilly.

Él no respondió. Observó simplemente cómo ella trataba de encontrar unas tiritas y un antiséptico en el botiquín.

–¿Andreas?

–Deja que te mire la herida –dijo él. Antes de que ella pudiera contestar, le agarró el brazo para mirárselo. A Carrie no le quedó más remedio que dejarse llevar.

–Andreas, ¿vas a pensar al menos lo que te he sugerido? –le preguntó ella. Él le limpió bien la herida con el antiséptico–. ¡Ay! ¡Me duele mucho!

–Carrie, estate quieta. No eres muy buena paciente.

–¡Y tú eres un pésimo médico!

Carrie se miró la herida y vio que ésta era más profunda de lo que había imaginado en un principio y que aún sangraba. Andreas presionó con fuerza con una gasa y, después de unos instantes, la hemorragia cesó.

–Eso está mejor.

–Gracias... –susurró ella mientras Andreas le vendaba diestramente la muñeca.

–De nada.

Durante un segundo, sus miradas se cruzaron. Andreas estaba demasiado cerca. Carrie sintió que los latidos del corazón se le aceleraban. Dio un paso atrás y trató de romper el hechizo que parecía haberse creado entre ellos.

–Pero podría habérmelas arreglado yo sola –añadió.

–Es difícil poner una venda con una mano.

–Sí, igual que lo es cuidar de un bebé y un imperio editorial –replicó ella.

–Tal vez no te hayas dado cuenta, Carrie, pero ya lo estoy haciendo –dijo Andreas mientras guardaba tranquilamente el botiquín.

–Y ya estás teniendo dificultades. Por lo que me has dicho, casi no has podido trabajar en estas dos últimas semanas.

–Las cosas mejorarán cuando contrate a alguien a jornada completa.

–Andreas, una niña necesita una madre. Piénsalo.

Andreas la miró.

–¿Has cuidado a Lilly sólo un día y de repente piensas que tienes lo que hace falta para cuidar a un bebé las veinticuatro horas del día y para ser una madre? –le preguntó con un aire de condescendencia que dolió profundamente a Carrie.

–Sé que lo tengo. Comprendo tus reservas, pero te

aseguro que no se trata sólo de un capricho. Andreas, te prometo que quiero mucho a Lilly. La adoro desde el momento en el que Jo me la puso en los brazos hace seis meses.

–¿Y tu trabajo? Jo me dijo que tu trabajo es de mucha responsabilidad y que viajas por todo el mundo.

–Sí, pero...

–Trabajas para un banco, ¿verdad?

–¿Acaso importa?

–Por supuesto que importa. Acabas de pedirme que te entregue a mi sobrina. ¿Crees que voy a hacerlo sin realizar preguntas?

¿Significaba eso que lo estaba considerando? La esperanza se despertó dentro de ella.

–Está bien. Sí, claro que viajo. En la actualidad, mi trabajo consiste en impedir los fraudes en el sistema bancario, pero...

–¿Con qué frecuencia estás fuera de Londres?

–Depende. A veces estoy fuera un mes entero, otras unos pocos días, pero si tuviera la custodia de Lilly, yo...

–En ese caso, ¿cuál es la diferencia entre tú y yo? ¿Qué te hace pensar que Lilly estaría mejor contigo?

–No me puedo creer que tengas que hacer esa pregunta –dijo, rápidamente–. La diferencia entre nosotros es evidente. El trabajo no es lo primero para mí. Mi existencia no se basa en él.

–Pues así era cuando te marchaste hace dos años.

–Entonces, era diferente.

–¿Sí? Te aseguro que conmigo no tienes que excusarte por poner el trabajo primero. Yo llevo años haciéndolo.

–Te aseguro que no me estoy excusando. Estamos hablando de un niño. Algo mucho más importante que cualquier cosa que pueda haber entre nosotros.

–Te aseguro que conozco perfectamente la importancia que pueda tener un niño, Carrie.

–¿Significa eso que vas a reconsiderar mi oferta? –le preguntó ella, llena de ansiedad–. Te aseguro que dejaré mi trabajo, Andreas. Conseguiré uno en el que pueda trabajar desde casa para no tener que viajar –añadió–. Lilly será lo primero en mi vida, por encima de todo lo demás. Anoche estuve pensando que podría vender mi piso y comprarme otra casa en el campo, en algún lugar que estuviera cerca de los colegios y todo lo demás.

–Veo que lo tienes todo pensando.

–En realidad, no. Por eso quiero que nos sentemos y hablemos. Mira, si te preocupa el hecho de que por darme la custodia de Lilly no tengas opinión alguna en la vida de la niña, no tienes por qué. Quiero que estés implicado. Además, podrás venir a verla siempre que quieras. Creo que es importante que formes parte de su vida.

–Eres muy generosa –comentó él, con tono burlón–. ¿Qué parte es exactamente la que me vas a permitir? Tal vez pueda ir a Londres una hora de un sábado al mes o tal vez sólo quieras que te envíe un cheque...

–¡No! ¡Esto no tiene nada que ver con el dinero, Andreas!

–¿No? Tanto si te gusta como si no, es una realidad que se necesita dinero para criar a un niño.

–Te aseguro que me las arreglaré bien. Estoy bien preparada y...

–¿Qué me dices de ese tipo al que estás viendo en Londres? ¿Qué papel va a jugar él en todo esto?

Carrie guardó silencio. De momento, no sabía de quién estaba hablando Andreas. Afortunadamente, recordó su mentira en el último momento, pero no supo cómo responder a la pregunta que Andreas le había hecho.

–¿Carrie? ¿Me vas a responder?

–Por supuesto que sí. Él no juega ningún papel en todo esto –admitió. Se había sonrojado vivamente.

–¿No? ¿Qué ha ocurrido? ¿Se lo preguntaste antes de venir y descubriste que es un buen tipo, pero no lo suficiente para aceptar al hijo de otra pareja?

–Dejemos a Mike fuera de esto, ¿de acuerdo?

–¿Acaso he preguntado lo que no debía?

–No, pero este asunto sólo nos concierne a Lilly, a ti y a mí.

–En realidad, Carrie, si vamos a ser exactos, esto no tiene nada que ver contigo.

La frialdad de las palabras de Andreas le dolió como si se tratara de un golpe físico.

–¿Cómo puedes decir eso cuando sabes lo mucho que esa niña significa para mí?

–Porque es la hija de mi hermano Theo. Él me nombró tutor legal y ella debe estar aquí conmigo, en mi casa y en mi país. Se la criará con las tradiciones de este país y el respeto y el amor que las acompañan.

–Entonces, ¿para qué me has hecho todas esas preguntas si no tenías intención alguna de cambiar de opinión?

–Simplemente sentía curiosidad.

–Eres un ser sin corazón...

–Probablemente, pero, en lo que se refiere a Lilly, actúo por amor. Quiero lo mejor para ella.

Carrie se dio la vuelta. No dudaba que Andreas amara a Lilly. Estaba segura de ello por el modo en el que la miraba.

–En ese caso, considera lo que te he dicho –le suplicó mirándolo de nuevo–. ¡No puedes abandonarla y dejar que la críe una niñera!

–No tengo intención alguna de abandonarla y me duele esa acusación, pero no puedo dejar mi trabajo. En estos momentos no me es factible. Muchas personas dependen de mí y Lilly es la más importante de ellas.

–Bien, evidentemente, no has considerado la situación. Una niñera se quedará lo que a ella le convenga y se marchará a su siguiente empleo o lo dejará para tener hijos propios. Eso provocará en Lilly otra pérdida en su vida y esa situación podría repetirse una y otra vez.

–Y contigo, sólo tendría que enfrentarse a una rotación constante de novios que vienen y van, pero eso está bien, ¿verdad?

–Yo no consentiría que eso fuera un problema.

–Entonces, ¿qué vas a hacer al respecto? ¿Convertirte en monja para el resto de tu vida?

–Haré lo que haga falta, Andreas. Cualquier cosa para conseguir que la vida de Lilly sea más segura.

–¿Cualquier cosa? –repitió él, mirándola de la cabeza a los pies–. En cierto modo, no creo que te siente demasiado bien un hábito de monja. Tal vez tengas que volver a pensarlo.

–Bromea todo lo que quieras, pero estoy preparada para poner los intereses de Lilly antes de los míos y dedicarme por completo a su crianza y educación. Por el contrario, tú sólo vas a utilizar tu riqueza para comprarle la clase de estilo de vida que crees que necesita.

–En realidad, voy a comprarle la clase de estilo de vida que sé que necesita –le corrigió Andreas–. Por suerte, puedo permitirme lo mejor para ella.

–Sí, me alegro por ti, pero, al final, va a ser tu empleada la que meta a Lilly en la cama mientras tú estás en tu trabajo.

–Si tomo esposa, no.

–¿Esposa? –repitió ella, muy sorprendida.

–¿Por qué no? Es la solución más realista a este problema.

–Pero... tú me dijiste que jamás te casarías. Recuerdo que lo afirmaste categóricamente. Me dijiste que no era propio de ti.

–Bueno, pues mi situación ha cambiado. Ahora tengo que pensar en Lilly y, como tú has dicho muy elocuentemente, tengo que pensar primero en sus necesidades.

–¿Y serías capaz de casarte sólo por el bien de Lilly?

–¿Por qué no?

Carrie no se había esperado algo así. Todo lo que ella pudiera proponer no valía nada comparado con lo que Andreas acababa de sugerir. No dudaba en absoluto que Andreas encontraría una esposa adecuada. Tal vez incluso ya tenía alguien en mente. Se imaginó a una hermosa y sofisticada mujer, probablemente griega. Sí, seguramente Andreas preferiría una mujer de su misma nacionalidad para que se convirtiera en su esposa y criara a Lilly como su hija.

No estaba preparada para el modo en el que esta idea le hacía sentirse. Era como si hubieran abierto un vacío dentro de ella y le dolía mucho. Desesperadamente, trató de encontrar el lado más positivo. Sería lo mejor para Lilly.

De todos modos, sentía un profundo resentimiento para aquella desconocida que le había hecho perder la batalla. Los celos no eran un sentimiento con el que estuviera muy relacionado, pero los estaba experimentando en aquellos momentos, de un modo terrible y demasiado real. Trató de explicarlos diciéndose que podría ser que, cuando Andreas tomara esposa, ella se viera apartada de la vida de la niña. Y eso sería como volver a perder a Andreas.

Este pensamiento le hizo fruncir el ceño. Andreas nunca había sido suyo. Por eso, no lo podía perder. Jamás le había dicho que la amaba. Ni siquiera le había hecho el amor. Lo único que había entre ellos era química, una clase de reacción que no acertaba a comprender. ¿Por qué se sentía como si lo estuviera perdiendo? No tenía derecho a pensar así ni por un minuto.

–¿Tienes a alguien en mente? –le preguntó para seguir la conversación.

–De hecho, sí.

–Espero que se trate de alguien que vaya a cuidar bien de Lilly. Alguien que la quiera más que a nada.

–Eso por descontado.

–No me impedirás verla, ¿verdad, Andreas? –susurró ella.

Tenía un aspecto muy pálido, pero él no sintió pena por ella. No le había gustado el modo en el que había utilizado todas las armas posibles, incluso su feminidad, para tratar de hacerle cambiar de opinión. Tampoco había sido de su agrado que hubiera dudado de su compromiso con la pequeña. El amor que Andreas sentía por Lilly era incuestionable. ¿Cómo se atrevía?

No. Si Carrie quería estar en la vida de Lilly, tendría que ser bajo sus condiciones. Él sacaría lo que quisiera de aquel acuerdo.

–Eso depende de ti, Carrie.

–¿En qué sentido?

–Sólo hay un modo en el que yo contemplaría compartir la custodia de Lilly contigo... y eso sería si tú te comprometes a ocupar el puesto de esposa.

Durante un instante, ella no le comprendió.

–No te entiendo, Andreas...

–Creo que sí lo entiendes. Acabas de decirme que estás preparada a poner a Lilly primero en todos los sentidos. Estupendo. Eso te convierte a ti en la mujer que yo necesito. Ahora tienes que demostrar tu sinceridad. Deja tu trabajo, quédate aquí y conviértete en una madre para Lilly. Dale la vida familiar segura que tan enfáticamente estás suplicando para ella.

Capítulo 9

CASÁNDOME contigo? –preguntó Carrie. No podía creer lo que acababa de escuchar.

–Exactamente.

Ella esperó a que Andreas dijera algo más, pero no fue así. Se limitó a observarla de un modo frío y cruel. Una parte de su ser ansiaba que Andreas suavizara un poco su oferta, que la envolviera en términos más agradables o que fingiera al menos que sentía algo por ella, aunque no se tratara exactamente de amor. Un giro romántico en la misma preocupación la habría hecho al menos un poco más... aceptable.

Los minutos fueron pasando y vio que Andreas no realizaba intento alguno por persuadirla con palabras amables. De hecho, tenía un aspecto duro que descolocaba aún más a Carrie.

–¿Me estás sugiriendo una especie de acuerdo de negocios? –susurró–. ¿Un matrimonio tan sólo en apariencia?

La frialdad de su aspecto se vio reemplazada por un brillo burlón en los ojos y una irónica sonrisa.

–Vamos, Carrie, ¡en qué mundo vives! ¿Crees que voy a casarme contigo y no voy a llevarte a la cama? Tal vez los negocios dominen mi vida, pero soy un hombre de sangre caliente... A ver si te lo explico más claramente. Esperaría que tú representases el papel de devota madre y de amante esposa a la perfección.

A pesar de que una parte de ella sintió una salvaje excitación al pensar que podría convertirse en su amante, algo que tantas veces había soñado, Carrie apartó la mirada bruscamente. Se sentía avergonzada del anhelo que se había despertado en ella. Andreas le estaba ofreciendo un matrimonio sin amor. ¿Dónde estaba su orgullo?

–Bueno, ¿qué me dices? –le preguntó Andreas tras colocarle una mano por debajo de la barbilla.

–Creo que es una barbaridad.

Andreas bajó inmediatamente la mano.

–En ese caso, regresa a tu segura existencia en Londres y deja que siga con el trabajo de criar a Lilly.

–En otras palabras –replicó ella–, si no accedo a tu... proposición, perderé a Lilly por completo.

–Yo diría que eso resume poco más o menos la situación –le espetó él fríamente–. Lilly, como tú has señalado muy bien, necesita estabilidad. Una madre. Si tú prefieres regresar a Londres, entonces esa persona no eres tú. No puedes entrar y salir de su vida cuando a ti te convenga.

–Eso ya lo sé.

–En ese caso, si estás segura de tus intenciones hacia Lilly, te darás cuenta de que mi proposición es la más sensata.

–¡Pero si no estamos enamorados! –exclamó ella, con ira.

–Esto no tiene nada que ver con el amor, Carrie. Tiene que ver con lo que resulta práctico.

–Pero... para que nosotros hagamos un compromiso para toda una vida, para unirnos como marido y mujer, para compartir una cama...

–¿Crees que tenemos que estar enamorados para compartir una cama? ¿Para gozar de nuestros cuerpos?

¡Venga ya, Carrie! Estoy seguro de que no eres la ingenua jovencita que eras cuando nos conocimos por primera vez.

–¡No te atrevas a burlarte de mí, Andreas! –replicó ella, con furia–. Tener ideales no tiene nada de malo, como tampoco lo tiene el hecho de pensar de un modo sensato en una relación. Sé cómo es la vida real. Conozco cómo se siente uno con el corazón roto. Vi cómo se desintegraba el matrimonio de mis padres. Oía cómo mi madre se quedaba dormida todas las noches llorando cuando mi padre se marchó.

–En ese caso, sabrás que el amor no es una garantía mágica para los finales felices.

–Lo qué sé es que no quiero esa clase de vida ni para mí ni para Lilly.

–¿Y crees que ese tipo de Londres puede ofrecerte la clase de seguridad que ansías? Deja que te diga que, por mucho que te haya susurrado cosas hermosas al oído cuando hacéis el amor, es imposible que las diga en serio. Si no, hubiera venido a Pyrena contigo y querría ayudarte y estar implicado con Lily.

–¡Deja a Mike fuera de todo esto, Andreas! Debes saber que yo jamás pondría a un hombre por delante de Lilly. Es mi ahijada y la adoro. Es y siempre será mi prioridad.

Andreas se alegró en secreto de que ella pareciera tan dispuesta a sacrificar su relación con el tal Mike. Se sintió muy seguro de que elegiría la vida que él le había ofrecido por encima de todo lo demás.

–Por tanto, verás que soy muy realista. El amor es compromiso. Nada es perfecto.

–¡Tampoco lo sería nuestra unión!

–Eso es algo en lo que tendríamos que trabajar, Carrie. Tenemos algo muy básico y muy real en nuestro favor. La química que hay entre nosotros. Tal vez no estemos enamorados, pero es evidente que nos deseamos.

Carrie negó con la cabeza.

–No quieres creerlo, ¿verdad? –dijo él. Le agarró por el brazo–. Déjame que te lo recuerde...

–Andreas, yo no...

La frase se interrumpió cuando él le cubrió la boca con sus labios. Una calidez y un anhelo inmediato le recorrieron instantáneamente todo el cuerpo. Carrie respondió instintivamente, abriendo la boca para él. Todo el cuerpo le vibraba de placer. Andreas le agarró la cintura y tiró de ella al mismo tiempo, pegándola contra su cuerpo. Carrie sintió la firmeza de sus músculos y sintió que la cabeza comenzaba a darle vueltas presa de una primitiva necesidad. Lo deseaba. Lo deseaba tanto que su cuerpo anhelaba aún más contacto. Ansiaba que él la tocara más íntimamente.

Los labios de Andreas devoraban los delicados labios de Carrie. Entonces, comenzaron a trazar un cálido sendero hacia el cuello. Ella gruñó de placer al mismo tiempo que Andreas le cubría los senos con las manos, acariciándoselos bruscamente a través de la seda del vestido.

–¿Ves como te gusta...? –le susurró al oído al tiempo que los dedos encontraban los erectos pezones a través de la suave tela. Se los acarició hasta que se tensaron aún más y se convirtieron en pequeños centros de excitación que vibraban con sus caricias. De repente, ella ansió que Andreas apartara la fina tela y la poseyera completamente–. ¿Ves como tengo razón? Quieres más, ¿verdad? Quieres que te posea... que te satisfaga completamente...

–Sí...

Carrie se apretó más estrechamente contra él presa de un completo delirio de necesidad. Casi no se dio cuenta de que había respondido. En lo único en lo que podía pensar era en el deseo que Andreas estaba despertando dentro de ella, un instinto básico tan antiguo como el tiempo que se había apoderado de todo incluido el orgullo y la reserva.

Andreas separó las manos de los senos para concentrarse en la cremallera del vestido. La desabrochó y la desnudó parcialmente, dejando al descubierto la cremosa carne. Entonces, en vez de seguir acariciándola y besándola, dio un paso atrás para mirarla.

–Ahora, ¿qué era lo que decías de que el deseo no es una emoción fuerte? Me deseas en todo el sentido de la palabra, Carrie –susurró, sin dejar de mirarla–. Me deseas tanto que, si siguiera acariciándote, terminarías suplicándome que te hiciera el amor.

Horrorizada, Carrie comprendió por fin que él sólo había estado besándola para probar sus palabras. Avergonzada de que él lo hubiera conseguido tan fácilmente, se subió el vestido con temblorosas manos.

–Está bien, me excitas –dijo–, pero eso no significa nada. Es sólo una reacción química.

–Llámalo como quieras. Francamente, no me importa. Lo único que me importa es el hecho de que podríamos hacer que nuestra relación funcionara por el bien de Lilly.

–La lujuria no puede sostener una relación –replicó ella.

–Pero ayuda. Si no hubiera deseo entre nosotros, yo no estaría sugiriendo este acuerdo ni por un instante. Del mismo modo, si no creyera que amas a Lilly de verdad y que serías una buena madre para ella, te diría que te marcharas –dijo. Observó cómo a Carrie le temblaban las manos mientras se subía la cremallera del vestido–. Tú fuiste la que dijo que harías cualquier cosa para conseguir que la vida de Lilly fuera más segura.

–¡Y así es! Pero esto... esto me da miedo, Andreas.

Él asintió.

–Lo comprendo.

–¿Sí?

–Por supuesto. Éste es un gran paso para los dos, pero piénsalo. Tú y yo podríamos ser la familia que tan desesperadamente necesita Lilly.

Aquellas palabras terminaron de destruir las defensas de Carrie.

–Carrie, te aseguro que haré todo lo posible para que las dos os sintáis felices y seguras. No puedo decir más que eso. Ahora, tómate un tiempo para pensarlo –añadió, suavemente–. Por el bien de Lilly, creo que es el único camino.

Carrie no hacía más que dar vueltas en la cama. Hacía mucho calor. No podía dormir y, además, no hacía más que recordar lo ocurrido aquella noche una y otra vez.

«El amor no es una garantía mágica para los finales felices».

Andreas tenía razón. El amor no había mantenido vivo el matrimonio de sus padres y ellos habían estado profundamente enamorados cuando se casaron. Mike le había dicho que la amaba, pero no había significado nada. Había estado mintiéndola con el único propósito de meterla en la cama. Cuando Carrie descubrió que estaba viendo a otra mujer, él simplemente se encogió de hombros. Dijo que había sido culpa suya por no acostarse con ella.

Al menos Andreas era sincero sobre sus sentimientos. Nunca había fingido estar enamorado de ella. Jamás había dicho mentiras sólo para llevarla a la cama.

Además, Carrie lo deseaba. Recordó el modo en el que su cuerpo respondía con intensidad y pasión cuando él la besaba. Sin embargo, le daba miedo que controlara sus sentidos de tal modo. Si se casaba con él y todo salía mal, no quería ni siquiera pensar en cómo se sentiría.

¿Qué debía hacer?

Casándose con Andreas le proporcionaría a Lilly la estabilidad que la niña necesitaba. Eso era lo más importante... ¿no? Si se negaba a hacerlo y se marchaba, estaría dejando a Lilly a merced de desconocidos o de una madrastra que podría no quererla...

No le quedaba elección. Debía aceptar la propuesta de Andreas.

Recordó los últimos instantes que habían pasado juntos en la cocina, cuando Andreas le había dicho que pensara en su propuesta. Un instante se había mostrado cruel e insistente y al siguiente, frío y pragmático. Eso sólo había conseguido que ella se sintiera aún más confusa.

La aurora estaba comenzando a teñir la noche de color rosa. Lilly se rebulló en su cuna. Carrie la oyó gorjeando tranquilamente. El sonido la hizo sonreír. Se levantó de la cama y, tras ponerse su bata, fue a verla.

–Hola, cariño... ¿Cómo estás hoy? –murmuró. La niña sonrió encantada y levantó los bracitos para que Carrie la tomara en brazos–. ¿Tienes hambre?

Mientras le tomaba en brazos, pensó que le sería imposible abandonarla. Mientras bajaba con ella a la cocina para prepararle un biberón, se preguntó cómo iba a poder regresar a Londres sin que la imagen de la pequeña la persiguiera día y noche. ¿Cómo no iba a preocuparse por ella, a no sentirse inquieta por quién pudiera estar cuidándola?

Miró por la ventana y vio a Andreas nadando en la piscina. Cortaba las tranquilas aguas con firmes y fuertes movimientos. Su fuerza y energía la hipnotizaron durante unos instantes. Entonces, mientras observaba, vio cómo él salía de la piscina con un fluido movimiento. Tenía un físico fabuloso. Los músculos se le tensaban poderosamente mientras se secaba con la toalla. En aquel momento, Carrie sintió que algo se despertaba dentro de ella. Rápidamente apartó los ojos para ignorar el sentimiento, tratando de decirse que no significaba nada.

Sin embargo, mientras terminaba de preparar el biberón de Lilly, no se pudo resistir a volver a mirar. Él se dirigía hacia la cocina vestido tan sólo con unos vaqueros. Llevaba la toalla alrededor del cuello. Su fuerte cuerpo relucía con la humedad del agua y el cabello humedecido y peinado hacia atrás le daba un aspecto muy aristocrático.

–Buenos días –le dijo, tras entrar por la puerta–. ¿Estás haciendo café por casualidad?

Aquel comentario tan relajado le hizo preguntarse si se había imaginado la proposición de la noche anterior.

–Mmm... sí. Acabo de hervir agua –replicó, tratando de sonar tan tranquila como él–. Te prepararé una taza.

–Gracias –comentó. Entonces, se acercó a la trona de Lilly–. ¿Y cómo está mi princesita esta mañana?

Aquellas palabras intensificaron aún más los extraños sentimientos que Carrie estaba experimentando. Trató de no mirar a Lilly. La niña reía y parloteaba encantada con la atención.

–¿Te estás preparando para irte al trabajo?

–Hoy no. Es sábado.

–¿De verdad? Estoy perdiendo el sentido del tiempo –comentó ella, mientras sacaba las tazas para terminar de preparar el café–. ¿Qué planes tienes para hoy?

–Tengo entrevistas a las nueve y luego libre el resto del día. ¿Quieres estar presente conmigo?

–Sí... Creo que sí. Gracias –comentó ella. Sacó a Lilly de la trona y se la sentó encima de uno de los taburetes para darle el biberón. La niña comenzó a tomárselo muy contenta mientras miraba a Carrie con adoración.

–Parece más tranquila desde que llegaste –comentó él.

Durante un segundo, las miradas de ambos se cruzaron y, antes de que Carrie pudiera recuperar la compostura para poder responder, él tomó su café y se dirigió hacia la puerta.

–Voy a darme una ducha. Te veré aquí dentro de un rato.

Cuando Carrie vistió a Lilly y se cambió ella también y volvió a bajar a la cocina, Marcia ya había llegado y la primera de las candidatas estaba esperando en el vestíbulo.

La mujer parecía más joven de lo que había anticipado. De hecho, aparentaba tener dieciséis o diecisiete años. Estaba vestida con una minifalda con *leggins* y zapatos de tacón.

–¿Tiene experiencia y referencias? –le preguntó Carrie a Andreas sin preámbulo alguno cuando se reunió con él en su despacho.

–Por supuesto. Tranquila. Si no fuera así, no habría llegado a tener una entrevista. Mira sus referencias antes de que la haga pasar –dijo Andreas mientras le daba un montón de papeles–. Tenemos tres candidatas y todas parecen preparadas, experimentadas y vienen recomendadas por una agencia muy respetable.

Carrie se sentó y trató de examinar los papeles mientras tenía a Lilly en sus rodillas. Una hora más tarde, había perdido el poco entusiasmo que había conseguido reunir. La primera candidata, aunque joven, parecía la mejor. Al menos había mostrado interés por Lilly cuando entró en el despacho y parecía mostrarse muy compasiva con las circunstancias de la pequeña. Entonces, averiguaron que sólo podría trabajar los siguientes seis meses porque estaba a punto de casarse e iba a mudarse a otra isla.

La segunda era una mujer más madura, con un aspecto serio y poco sonriente que apenas miró a Lilly. Además, parecía más interesada en dictar sus propias condiciones. La tercera no sabía ni una palabra de inglés, por lo que Carrie no supo qué pensar, pero tampoco parecía sentir mucho interés por la pequeña.

Se sentía completamente estresada cuando terminaron por fin. No hacía más que imaginarse el rostro de Jo. Su instinto le decía que su amiga no habría aprobado a ninguna de aquellas mujeres para que cuidara de su hija.

–¿Qué te ha parecido? –le preguntó Andreas mientras se levantaba para tomarse una taza de café que les había llevado Marcia.

–No me ha parecido que ninguna de las dos sea la adecuada.

–¿De verdad? A mí me pareció que la número tres, la señora Koleundoposis, era con mucho la más adecuada.

–¿En serio? –le preguntó Carrie, mirándolo con consternación–. Casi ni miró a Lilly. No me pareció en absoluto maternal ni que estuviera muy interesada en ella.

–Bueno, en realidad, no entendiste lo que decía. Me pareció bastante agradable.

–¡Agradable! Agradable no es suficiente –dijo ella, aún con la niña en brazos–. ¡No es suficiente, Andreas!

–Carrie, no podemos esperar que alguien que ve a Lilly por primera vez se quede tan enamorado de la niña como lo estamos nosotros. Lo mejor que podemos esperar es a alguien como la señora Koleundoposis, amable y de fiar. Yo habría elegido a la primera candidata, pero, tal y como tú dijiste, no queremos que Lilly tenga que sufrir el trauma de tener que cambiar de niñera constantemente. Necesita rutina y estabilidad.

–Andreas, espero que no estés pensando seriamente en dejar a Lilly con esa mujer. No voy a permitirlo. Yo no lo acepto.

Andreas la miró y frunció el ceño.

–Carrie, te estoy pidiendo cortésmente tu opinión, pero nada más.

Aquellas duras palabras devolvieron a Carrie a la realidad. Por supuesto que no tenía ningún derecho a mostrarse tan insistente.

–Sí, lo sé, pero... Creo que no es la adecuada –murmuró–. Lo siento... es que esa mujer... me da verdaderas malas vibraciones...

–Carrie, basta ya. Sentirías lo mismo por cualquier mujer en estos momentos... por alguien que no fuera Jo o tú misma.

Carrie lo miró. Durante un instante, los ojos se le llenaron de lágrimas. Apartó la mirada rápidamente y trató de recuperar la compostura. Andreas tenía razón, por supuesto. No quería que nadie más cuidara de Lilly.

–Está bien... lo admito –susurró–, pero sigo sin creer que esa mujer sea la elección correcta.

–Mi elección es la correcta, Carrie –musitó él mirándola a los ojos–. Mi elección eres tú.

Carrie sintió que el corazón le daba una voltereta.

–¿De verdad hablabas en serio cuando me dijiste lo que me dijiste anoche?

–Jamás digo nada que no sienta. Lo único que tienes que hacer es aceptar mi proposición y te entregaré mi casa. Entonces, tú podrás elegir a quien quieras para que te ayude.

–Yo no necesitaría ayuda alguna –afirmó ella, con orgullo–. Yo cuidaría de Lilly sola.

Andreas sonrió.

–¿Debo interpretar eso como un sí?

Antes de que pudiera pensar en lo que estaba haciendo, Carrie asintió.

–Sí, Andreas –susurró–. Me casaré contigo.

Capítulo 10

EL SOL brillaba sobre la bruma que cubría la superficie del mar. Incluso en la sombra, la temperatura debía de ser altísima, pero no había mucha sombra. Estaban a bordo del yate de Andreas y navegaban en aquellos momentos a través del mar en dirección a la isla de Mykonos.

Lilly estaba dormida en uno de los camarotes, bajo un ventilador que la refrescara. Carrie manejaba el timón, observando cómo Andreas recogía diestramente las velas antes de dirigirse de nuevo al puente de mando.

Iba vestido con unos pantalones cortos y una camiseta y aquel atuendo tan casual le sentaba bien. De hecho, Carrie no podía apartar los ojos de él. Andreas era el hombre con el que iba a casarse en ceremonia íntima al día siguiente.

Casi no se lo podía creer. Desde que aceptó casarse con él hacía diez días, todo se había organizado con tanta velocidad que ella misma se sentía algo agobiada. A penas si había tenido tiempo de pedir más días de vacaciones antes de ponerse con los preparativos. Andreas había sugerido que se casaran en Mykonos porque su padre vivía allí y George Stillanos estaba demasiado enfermo para realizar el viaje hasta Pyrena. Carrie había pensado que la boda quedaría organizada para unos meses más tarde, pero Andreas le informó fríamente que se casarían a finales de la siguiente semana.

Habían sido unos días extraños. Se había leído el testamento de Jo y Theo. Andreas era nombrado tutor legal de la niña y se les informó que los fallecidos habían creado un fondo que la pequeña recibiría el día que cumpliera dieciocho años.

–Ya se ve Mykonos en la distancia –dijo él–. Es un lugar muy hermoso. La ciudad es un laberinto de callejuelas. Dicen que la diseñaron así para confundir a los piratas. Además, aparte de ser muy hermosa, tiene unas estupendas boutiques. Por lo tanto, si quieres ir a comprarte algo para mañana, éste es el lugar.

Carrie se encogió de hombros. Cuando Andreas le dijo cuándo era la ceremonia, ella se había quejado de que no tenía nada que ponerse. Él le había contestado que lo que se pusiera no importaba. Lo imprescindible era la sinceridad y el compromiso que demostraba hacia Lilly para proporcionarle una familia.

Era cierto. Pensar en ropa era una cuestión de vanidad. Además, Andreas no se fijaría en lo que ella se pusiera. Sólo se casaba con ella para que Lilly tuviera una madre. El único interés que pudiera tener en ella era puramente sexual. Seguramente lo único en lo que se fijaría sería en lo que se pondría para ir a la cama.

Este pensamiento incrementó su aprensión.

–Como tú me dijiste, la ropa no importa. Tengo el traje con el que llegué a la isla, el que utilizo para trabajar. Será suficiente.

–Yo no dije que no importara lo que te pongas. Dije que no era lo más importante. Deberías comprarte algo nuevo esta tarde. Te he preparado una tarjeta de crédito. Te la daré cuando estemos en el puerto y te podrás divertir un poco gastando lo que quieras.

–Andreas, tengo mi propio dinero. No tengo que gastarme el tuyo.

–Te aseguro que no necesitas preocuparte por mi dinero. Soy un hombre muy rico. Puedo permitirme comprarte todo lo que quieras.

–No se trata de eso. Me gustaría ser independiente. Siempre lo he sido.

–Bien, pues ahora no tienes por qué serlo. Además, de ahora en adelante, tendrás una imagen que mantener. Como esposa mía, se esperará que vayas vestida de un modo adecuado.

Carrie lo miró alarmada.

–No creerás que los paparazis van a venir a hacer fotos de nuestra boda, ¿verdad?

–Como casi nadie sabe que nos vamos a casar, no lo creo. A menos que tú se lo dijeras a alguien cuando llamaste a tu trabajo para presentar tu dimisión.

–En realidad, aún no lo hecho.

–¿Por qué no? Pensé que habíamos acordado que eso sería lo primero que harías el lunes por la mañana.

–Bueno, tenía otras cosas en la cabeza.

–¿Como terminar con el tipo con el que estabas saliendo? ¿Eso ya lo has hecho?

Carrie se pasó una mano por el cabello. Quería decirle la verdad, que aquella relación había terminado hacía ya mucho tiempo.

–Andreas, yo.... Ya te he dicho que Lilly es mi prioridad, por lo que sí, he terminado con Mike. Nos vamos a casar mañana, por amor de Dios.

–Entonces, ¿por qué no has dejado también tu trabajo?

–Lo haré... mi jefe está de viaje en estos momentos. Hablaré con él en cuanto regrese. En realidad, esperaba que aún pueda seguir trabajando a tiempo parcial para ellos a través de Internet. Él es la persona que puede autorizarme a hacerlo.

–Entiendo... No hay necesidad de que trabajes, pero si eso es lo que quieres...

–Sí.

Carrie miró hacia el mar. No quería depender totalmente de Andreas y mucho menos económicamente.

–Aún no me puedo creer que nos vayamos a casar mañana.

–Tú no eres la única. Mi padre se quedó asombrado cuando le llamé para darle la noticia.

–Probablemente había dejado de esperar que sentaras la cabeza.

–Puede ser.

–¿Sabe que sólo nos casamos por el bien de Lilly?

–No. La salud de mi padre no ha sido muy buena desde que mi madre murió hace ocho años. La muerte de Jo y de Theo le ha debilitado aún más. Por eso, considerando todo esto, pensé que era mejor que creyera que éste es un matrimonio por amor. Se ha puesto tan contento por poder celebrar algo después de los traumáticos acontecimientos que han afectado a la familia que no he tenido corazón para desilusionarlo.

Carrie tragó saliva. Aquellas palabras le recordaron aún más la farsa que era aquel matrimonio.

–Lo entiendo –dijo, tratando de fingir que lo ocurrido no le había afectado en absoluto–. Representaré lo mejor posible mi papel de amante novia.

–¿De verdad? Me muero de ganas de verlo –bromeó él. Carrie se sonrojó–. Esto me recuerda que te he comprado un anillo –añadió. Abrió un cajón que había debajo del timón y sacó una cajita–. Espero que te guste. Si no es así, podremos cambiarlo aquí.

Carrie tomó el estuche y lo abrió. Un diamante solitario relucía tan brillantemente con los rayos del sol que ella casi se quedó sin aliento.

–Es maravilloso –susurró.

–Me alegro de que te guste.

Andreas vio que ella lo sacaba de la caja, pero, antes de que pudiera ponérselo, le agarró la mano y se lo colocó él mismo. El contacto de las manos aceleró los latidos del corazón de Carrie.

–Parece que te está bien. Adiviné bien tu talla –murmuró.

–Sí... es perfecto –dijo. A pesar de que lo intentó, no pudo evitar que la voz le temblara ligeramente.

Andreas le acarició suavemente la mano. Luego, se la soltó sin más.

–Ahora, lo único que necesitas es un vestido que ponerte mañana y algunas prendas más para la luna de miel.

–¿Luna de miel? –preguntó ella, asombrada.

–Bueno, según creo es la tradición... ¿no? Primero el compromiso, luego la boda, en la que prometerás entregarte a mí sin reservas, y luego la luna de miel, donde yo te tomo la palabra... ¿No es así el orden?

Carrie se sonrojó aún más de lo que ya estaba.

–Bueno, como no se podría clasificar nuestra relación como tradicional, pensé que no nos íbamos a molestar con una luna de miel.

–Carrie, cielo... Hemos estado tanto tiempo esperando que creo que unos cuantos días de sexo ininterrumpido es una completa necesidad.

Carrie apartó la mirada. Sentía que le ardía el cuerpo con una extraña clase de anhelo. Quería una luna de miel. Quería sentirse más cercana a él, pero quería que todo ello significara más que el sexo sin interrupción. Quería que él se sintiera como ella se sentía. Quería tener su corazón y su cuerpo, porque estaba completamente enamorada de Andreas.

Aquella sencilla verdad la golpeó con la ferocidad de un puñetazo. Llevaba enamorada de él desde el primer momento que lo vio en aquella cita a ciegas en la que resultaba evidente que Andreas no quería estar.

Cuando él le pidió que se quedara en la isla, Carrie había esperado ansiosamente que él le declarara su amor, pero, por supuesto, no había sido así. Ella había tratado de excusar lo que sentía por él. Se había dicho que sus sentimientos eran una ilusión. Que no podían ser reales porque apenas lo conocía. Que lo que había sentido no era nada más que un romance de vacaciones.

Sin embargo, era mucho más que eso. Jamás había olvidado a Andreas. De hecho, estaba segura de que no había podido comprometerse un poco más con Mike por él.

Andreas observó las sombras que cubrían el rostro de Carrie y frunció el ceño.

–Carrie, si has cambiado de opinión y no quieres seguir con esto del matrimonio, sólo tienes que decirlo.

Ella sintió un nudo en el corazón. No podía cambiar de opinión y no sólo por Lilly, sino también por lo que sentía hacia él.

–No. Hemos tomado una decisión y no he cambiado de opinión. Estoy dispuesta a intentarlo... a crear una familia para Lilly.

Andreas la miró durante un largo instante. Entonces, asintió.

–Está bien. He hecho que mis abogados redacten un contrato para nosotros por si no sale bien.

–¿Un contrato? –repitió Carrie. No creía que el dolor que sentía por dentro pudiera empeorar más, pero acababa de hacerlo.

–Sí. Se trata de un acuerdo prematrimonial estándar. También nos da la opción de separarnos con relativa facilidad tras cinco años de convivencia si alguno de los dos no es feliz.

–Entiendo –susurró Carrie. Sentía unas grandes ganas de llorar.

–Lo único que yo estipulo es que no te mudes demasiado lejos –comentó él–. Estoy seguro de que comprendes que tenemos que proteger a Lilly del dolor que pudiera ocasionarle el divorcio y colocar su bienestar por encima de todo lo demás. Por lo tanto, debes quedarte cerca de aquí por ella. Por supuesto, yo te proporcionaré una casa y una pensión para que no tengas preocupación alguna en ese sentido.

Carrie trató de ahogar las lágrimas.

–Parece que lo has pensado todo...

–Es mejor estar preparado para cualquier eventualidad, pero espero que no tengamos que llegar a eso. Quiero que este matrimonio funcione, Carrie, y haré todo lo que pueda para asegurarme de que así es. Quiero hacerte feliz –añadió. Extendió la mano y le apartó el cabello del rostro con un tierno gesto que la confundió completamente.

Carrie trató de sonreír, pero no lo consiguió del todo. Por eso, sintió un profundo alivio cuando él se concentró en las maniobras para entrar en el puerto. No debía llorar delante de él. Después de todo, lo más sensato era tomar precauciones por si las cosas no salían bien. Tenían que considerar lo que pudiera ocurrirle a Lilly y cómo podría afectarla.

–Entonces, si nos vamos de luna de miel, ¿qué vamos a hacer con Lilly? –preguntó.

–Se viene con nosotros.

–¿De verdad? –replicó ella, aliviada–. Me alegro.

Sé que dijiste que necesitaríamos un... tiempo ininterrumpido juntos, pero en estos momentos Lilly necesita continuidad en sus cuidados...

–No te preocupes, Carrie. Podremos pasar tiempo juntos. Lo he preparado todo para asegurar la seguridad de Lilly y, además, tendremos personas que nos acompañarán. Por si esto fuera poco, no debes olvidarte que Lilly se echa unas largas siestas y que tendremos todas las noches...

–No se me había olvidado. Me preocupaba Lilly. Nada más –mintió.

–Bien. Espero haberte tranquilizado.

Carrie distaba lejos de estar tranquila. Cada vez que pensaba en la luna de miel, el corazón se le aceleraba. Trató de pensar en otra cosa.

Cuando por fin atracaron, el puerto estaba casi vacío. Se dirigieron hacia la ciudad. Lilly estaba despierta y Andreas la llevaba en un portabebés que se había colgado de los hombros. Para todo el mundo, seguramente parecían una familia que estaba disfrutando de un día juntos.

Unos minutos más tarde, doblaron una esquina. La calle estaba completamente llena de tabernas.

Andreas miró el reloj.

–Podemos tomar un taxi ahora mismo e ir directamente a casa de mi padre o nos podemos sentar aquí y tomar algo de beber. Si quieres, puedes irte un rato de compras.

–Lo de la bebida y las compras me parece bien –dijo ella.

Unas horas más tarde, después de disfrutar de una bebida fría y de que Carrie realizara algunas compras, tomaron un taxi y se dirigieron hacia el interior de la isla.

El paisaje estaba moteado de campos de olivos. Pasaron junto a pequeñas calas y tranquilos pueblos antes de tomar un sendero que llevaba a la granja en la que vivía el padre de Andreas. Era una casa tradicional de la isla, blanca con contraventanas azules. Desde ella, se disfrutaba de una vista que cortó la respiración a Carrie, dado que estaba construida junto a un acantilado, desde el que se dominaba el campo y el mar al mismo tiempo.

En cuanto el taxi se detuvo, el padre de Andreas salió a recibirlos. Era mayor de lo que Carrie había imaginado, pero aún conservaba gran parte del atractivo de la familia. Cuando Andreas la presentó como su prometida, Carrie se sintió muy tímida. George le dio un fuerte abrazo y dos besos en las mejillas. Entonces, dio un paso atrás y le dijo algo en griego a Andreas.

–Perdóname, Carrie –dijo, inmediatamente–. Se me olvidaba que no sabes hablar nuestro idioma. Me alegro mucho de conocerte y de darte la bienvenida.

–Gracias, George. Yo también me alegro de conocerlo.

–Tengo que decirte que le estaba diciendo a mi hijo que eres tan hermosa como él me había dicho.

Carrie se sonrojó. Entonces, George se acercó a ver a su nieta, que estaba profundamente dormida en brazos de Andreas.

–Ha crecido mucho desde el entierro –susurró, con una expresión triste en el rostro–. Ahora, vayamos dentro para que podáis relajaros un poco y me contéis vuestros planes de boda.

George los acompañó al salón y preparó té. Mientras lo tomaban, estuvieron hablando sobre Lilly. Todos parecían tan contentos y relajados que incluso comenzaron a hablar de Jo y Theo.

–Sé que estarían muy contentos por esta boda –dijo George.

–Bueno, ellos nos presentaron –comentó Andreas.

–Así es. ¡Y qué mal lo pasamos en esa cita a ciegas! –recordó Carrie–. Ninguno de los dos queríamos estar allí.

–Bueno... yo no quería estar allí hasta que te vi –dijo Andreas.

Durante un instante, sus miradas se cruzaron. Carrie sintió que el corazón le latía alocadamente contra el pecho, igual que le había ocurrido en esa primera cita.

–Amor a primera vista –sugirió George–. Así nos ocurrió a tu madre y a mí, Andreas.

Y así le había ocurrido a Carrie. Pero a él... tal vez había sido deseo a primera vista.

–Creo que voy a subir a mi habitación para lavarme un poco y cambiarme –murmuró ella. De repente, necesitaba tener espacio.

Le indicaron una habitación que había en la parte de atrás de la casa, con vistas al mar. La habitación contaba con una enorme cama con dosel y tenía un aspecto de lo mas romántico. Se preguntó si Andreas iría a compartir aquella cama con ella esa noche o si esperaría hasta que estuvieran casados...

Trató de no pensar en ello. Abrió su pequeña maleta y sacó su ropa. Cuando terminó, se acercó a la ventana y trató de no pensar en nada. No obstante, le costaba no pensar en Andreas, porque el maravilloso diamante se lo recordaba constantemente.

¿Cómo sería hacer el amor con él? Seguramente, como había tenido muchas amantes, tendría mucha experiencia. Tal vez ella sólo conseguiría defraudarlo en sus expectativas... Tal vez se desilusionaría por el hecho de que ella siguiera siendo virgen.

Si la hubiera amado, no le habría importado. Sin embargo, aquel matrimonio no era nada convencional. No habría amor y la pasión sería lo más importante. Tal vez a él le desilusionara su falta de experiencia sexual y terminaría cansándose de ella para terminar tomando otra amante. Si no había sentimientos, sino sólo sexo, ¿qué podría impedírselo?

Este pensamiento la paralizó por completo. No quería esa clase de matrimonio. Siempre se había jurado que sólo se casaría con un hombre al que amara de verdad y con el que se sintiera segura y protegida. No quería experimentar el sufrimiento que había visto en su madre.

De repente, alguien llamó a su puerta. Se volvió y vio que Andreas entraba en su habitación.

–¿Va todo bien?

–Sí, por supuesto.

–Estás casi tan blanca como las paredes de esta casa.

–¿De verdad? Tal vez me resulte más duro de lo que había pensado el hecho de mentir a tu padre sobre nuestros sentimientos.

–Carrie, mi padre ha sufrido mucho últimamente. Tiene que evitar el estrés. Además, ¿de qué sirve decírselo cuando vamos a hacer todo lo posible para que este matrimonio funcione?

–Lo entiendo, pero me resulta difícil.

–No te preocupes. Nos marchamos mañana después de la boda.

–¿Cómo dices? Pensaba que nos íbamos a quedar aquí unos días.

–¿Crees que quiero celebrar mi luna de miel en la casa de mi padre?

–Bueno... es una casa muy bonita.

–Sí –contestó él, riendo–, pero necesitamos intimidad. Como te dije antes, necesitamos tiempo para conocernos.

Es decir, sexo ininterrumpido. Al recordarlo, Carrie se sonrojó aún más.

–Al menos, he conseguido ponerte algo de color en las mejillas.

–Sí... por alguna razón eso no te cuesta nada.

–Y a mí me resulta fascinante. A veces, juraría que sigues siendo virgen.

–¡Andreas! –exclamó ella. Se sentía avergonzada, pero, al mismo tiempo, se preguntaba si no debía aprovechar la oportunidad para decírselo.

Él se echó a reír y el momento se perdió. Carrie no podría soportar que él se burlara de ella.

–¿Sabes una cosa? Suenas muy puritana cuando quieres –murmuró.

–Bueno, tal vez sea parte de mi personalidad –dijo–. Tal vez me encuentres demasiado puritana y te desilusione cuando nos metamos por fin en la cama.

–No lo creo –musitó él. Los ojos se le habían oscurecido.

Carrie no podía soportar que él la mirara de ese modo. Parecía estar desnudándola con los ojos.

–Creo que oigo llorar a Lilly –dijo, como excusa, para intentar zafarse de él. Andreas la agarró por el brazo–. No... Tengo que ir a atenderla. Necesita comer.

–Está encantada en brazos de mi padre. Él es bastante capaz de cuidarla un rato...

–Aun así, yo debería...

–Aun así, tenemos tiempo para esto...

Andreas la besó con pasión y posesión. Antes de que ella se diera cuenta, le había empezado a devolver el beso. Resultaba tan maravilloso que todas las dudas se disiparon. Todos los pensamientos quedaron sustituidos por uno solo: lo mucho que lo amaba.

Cuando ella gimió suavemente, en vez de incrementar la presión, Andreas se apartó de ella. Carrie lo miró con los labios henchidos y entreabiertos.

–Créeme si te digo que no besarías de ese modo si tuvieras un gramo de puritanismo en el alma –dijo mirándola a los ojos–. Mañana por la noche ya no habrá más esperas... ni más fingimientos.

Capítulo 11

EL ROSADO amanecer estaba iluminando el paisaje. Carrie abrió los ojos.

Era el día de su boda.

Permaneció tumbada, mirando la tela del dosel. ¿De verdad iba a casarse con Andreas aquel día? Todo parecía completamente irreal.

Recordó la noche anterior. Algunos amigos de Andreas y de George habían acudido a la casa para desearles un buen futuro juntos. Había sido una fiesta muy agradable en la que todo el mundo se había mostrado muy contento. Todos comentaron lo enamorados que parecían Andreas y Carrie.

Entonces, de repente, él se levantó y anunció que iba a pasar aquella noche en la ciudad.

–Aparentemente, da mala suerte ver a la novia la mañana de la boda. Sal y dame las buenas noches.

Entre risas y aplausos, Carrie salió al exterior. Andreas la besó apasionadamente y, entre risas, le revolvió el cabello.

–Es mejor darles algo de que hablar a nuestros invitados –comentó, riendo.

–¿Dónde te vas a alojar esta noche?

–Cualquiera diría que te importa –dijo él mirándola a los ojos–. Lo único de lo que tienes que preocuparte es de estar preparada a tiempo mañana por la mañana. Un coche vendrá a buscarte a las once.

Con eso se marchó. El no saber dónde había pasado la noche atormentaba profundamente a Carrie.

Lilly se despertó en aquel instante. Carrie se acercó a la cuna, que estaba junto a su cama, y contempló a la niña. Casarse con Andreas era lo correcto. Quería demasiado a la pequeña Lilly. El problema era que también quería demasiado a Andreas, tanto que el hecho de pensar que hubiera podido pasar la noche con otra mujer la volvía loca de celos.

Apartó la sábana y se levantó de la cama. Era el día de su boda. Teóricamente, el más feliz de su vida. No iba a estropearlo imaginándose cosas. Iba a confiar en Andreas e iba a hacer todo lo posible para que la relación funcionara.

La mañana pasó volando. Andreas le pidió a una amiga suya que fuera a cuidar de Lilly mientras Carrie se preparaba. Llegó una peluquera para peinarla. Un muchacho fue a llevarle un ramo de rosas... Parecía que Andreas había pensado en todos los detalles.

A las once menos cuarto, Carrie salió de su habitación. El vestido de seda que se había comprado el día anterior era bellísimo. Dejaba los hombros al descubierto y se ceñía elegantemente a las esbeltas curvas del cuerpo de Carrie. El viento lo hizo volar cuando salió a la terraza, donde lo esperaba George con una copa de champán.

–Carrie, estás tan hermosa...

–Gracias –dijo ella, con una sonrisa, mientras aceptaba la copa de champán.

Se preguntó cómo se sentiría Andreas en aquellos momentos y si tendría dudas.

Mientras tomaban el champán, se escuchó el sonido del motor de un coche. Una limusina blanca apareció por la carretera y se detuvo frente a la casa.

–Es hora –anunció George.

Lilly los acompañó en el coche. Iba sentada encima de su abuelo y tenía un aspecto adorable con un precioso vestido bordado con flores. La peluquera le había puesto una cinta de flores en la cabeza y estaba tan mona que Carrie sintió deseos de llorar por lo orgullosa que estaba de la pequeña.

Andreas la esperaba en la plaza del pueblo, de pie, como si nada, a la sombra de la pequeña iglesia blanca. Algunos curiosos se reunieron alrededor del coche cuando Carrie salió, pero ella casi no se fijó en ellos. Toda su atención se centraba en el hombre con el que se iba a casar.

Llevaba un traje gris oscuro con chaleco plateado y corbata gris. Aquella ropa tan formal le hacía parecer aún más guapo. Carrie casi no se podía creer que aquel hombre tan atractivo fuera a convertirse en su esposo.

Andreas la observó atentamente mientras se dirigía hacia él. La miraba con admiración. Carrie sonrió tímidamente cuando se acercó a él.

–Estás maravillosa –dijo él, suavemente–. Ha merecido la pena esperar.

Se acercó para darle un beso en la mejilla.

–¿Estás lista?

–Nunca lo estaré más.

Se miraron durante un largo instante. Entonces, Andreas realizó una inclinación de cabeza y le dijo algo a su padre. Tras sonreír a Lilly, todos procedieron a entrar en la iglesia.

En el interior, estaba oscuro y se aspiraba la cálida fragancia del incienso. Lirios blancos adornaban majestuosamente el altar. A pesar de su modesto exterior, la iglesia era espectacular por dentro. Había algunos de los amigos que Carrie había conocido la noche anterior.

Entonces, no hubo tiempo de pensar en nada que no fuera la ceremonia. Cuando Andreas le colocó la alianza de oro en el dedo, le dijo algo en griego muy suavemente. Entonces, la besó en ambas mejillas antes de hacerlo en los labios.

Minutos más tarde, estaban en el exterior de la iglesia. Carrie tenía a Lilly en brazos y todo el mundo se agolpaba en torno a ellos para darles la enhorabuena.

Se había casado con Andreas. Se sentía feliz, pero aterrorizada a la vez. Este sentimiento se intensificó cuando vio que su alto y guapo marido estaba hablando con el chófer que la había llevado hasta allí.

–Os deseo una felicidad larga y duradera –le dijo George tomándole la mano–. Y un amor tan profundo y eterno como el que yo aún le tengo a mi esposa.

–Muchas gracias, George...

En ese momento, Andreas se acercó a ella y le rodeó los hombros con un brazo.

–El coche nos está esperando. Deberíamos marcharnos.

–¿Adónde?

–A nuestra luna de miel, por supuesto. Hasta la semana que viene, papá –le dijo a George.

Entonces, tomó la mano de Carrie y la llevó hacia la limusina.

–No me había dado cuenta de que nos íbamos a marchar justo después de la ceremonia –dijo Carrie cuando se hubieron acomodado en el interior de la limusina–. Tengo que regresar a la casa para recoger nuestras pertenencias.

–Ya está todo organizado. Todo está a bordo del yate. Nos marchamos a Santorini dentro de una hora.

Fue un banquete de bodas muy diferente. Echaron el ancla en el mar Egeo y almorzaron en el comedor del yate. Todo era muy romántico. No se había escatimado ningún detalle. Había champán y música de fondo y camareros para atenderlos.

–Esto es increíble. No me lo podía creer cuando subí abordo y vi que habías organizado todo esto aquí –comentó Carrie, cuando se quedaron solos una vez más entre plato y plato–. ¿Has contratado a gente sólo para hoy o esto es algo que sueles hacer habitualmente?

Se preguntó si él se había dado cuenta de lo nerviosa que se encontraba. Él, por su parte, parecía completamente relajado.

Sonrió.

–Algunas veces utilizo el yate para eventos relacionados con mi trabajo, pero aparte de eso, no. Esto no es algo que haga con regularidad. Me gusta estar aquí solo. Me gusta navegar. Me resulta terapéutico.

–Lo imagino. El mar casi parece un espejo en esta zona.

–Las condiciones suelen ser buenas en esta época del año –dijo. Entonces, se reclinó sobre su asiento y la miró atentamente–. Bueno, creo que ahora ya hemos agotado más o menos los comentarios corteses. ¿O acaso crees que podríamos comentar también lo azul que es el mar?

–¿Ya te aburro? –murmuró ella.

–Nada más lejos. De hecho, me fascinas, Carrie. Me estás evitando...

–No sé a qué te refieres –comentó ella mientras tomaba un sorbo de champán.

–Yo creo que sí.

–Bien. ¿De qué te gustaría hablar?

–Bueno, no sé. ¿Qué te parece de algo que no sea este barco o del tiempo?

–Está bien. ¿Por qué no me dices dónde y con quién pasaste la noche de ayer? –le espetó ella. Andreas la miró asombrado–. ¿Es que no quieres hablar de eso? Supongo que no debería sorprenderme... –susurró ella. Trató de hacerle creer que no le importaba, pero no lo consiguió.

–Carrie, estuve aquí, en el yate.

–¿De verdad? Bueno, fue tu última noche de libertad y supongo que no es asunto mío.

–Y estuve solo. Veo que no tienes muy buena opinión de los hombres, ¿verdad?

–¿Acaso no eres tú el hombre que me dijo en una ocasión que, más o menos, sólo me quería por el sexo? ¿Cómo puedes culparme de pensar así? –preguntó. Andreas entornó los ojos–. Bueno, olvídalo. Creo que es mejor que hablemos del tiempo. No me importa lo que hiciste anoche.

–Carrie, yo...

–No. De verdad. Déjalo.

–Te aseguro que estuve solo. Te lo dije en serio cuando te aseguré que quería que este matrimonio funcionara.

Andreas le tomó la mano. Este simple hecho despertó el deseo en el cuerpo de Carrie.

–Creo que debería ir a ver cómo está Lilly –dijo. Trató de soltarse, pero Andreas se lo impidió.

–Lilly está dormida –replicó él mirando a los monitores que mostraban a la pequeña durmiendo plácidamente en el camarote–. No sólo tenemos sonido, sino también imágenes. No tienes excusa alguna para marcharte de repente.

–Has pensado en todo...

Carrie trató de todos modos de soltarse de él, pero Andreas no le dejó.

Era su marido. Tenía que confiar en él... Debía dejar el pasado atrás por su bien y por el de Lilly.

Un camarero apareció en aquel momento para preguntarles si estaban listos para el postre.

–En realidad, no... No creo que pueda comer nada más.

Andreas la miró e indicó al camarero que se podía marchar. Cuando volvieron a quedarse solos, un profundo silencio se apoderó de ellos.

–¿Qué fue lo que me dijiste? –le preguntó ella, de repente. Andreas la miró sin comprender–. Cuando me pusiste la alianza de bodas, me dijiste algo en griego...

–Ah, sí.

–¿Qué?

–Que ahora somos una familia. Lilly, tú y yo –susurró él. La miraba de tal modo que parecía acariciarla con los ojos. Se detuvo en la suavidad de los labios y le agarró con fuerza la mano. Entonces, se puso de pie y la obligó a ella a hacer lo mismo–. Ahora... volvamos a empezar de nuevo nuestra conversación...

Murmuró las palabras muy suavemente. Entonces, bajó la cabeza y la besó con una pasión que volvió completamente loca a Carrie. El beso fue lento, sexual. Todo su cuerpo respondió inmediatamente. El deseo que sentía por Andreas se apoderó de ella con urgencia.

–¿Seguimos hablando de esto en el dormitorio? –musitó Andreas–. Así podrás decirme un poco más lo mucho que me deseas...

Carrie ni siquiera trató de negarlo. No hubiera servido de nada. Se sentía tan abrumada por el deseo que sus palabras habrían quedado en evidencia inmediatamente. En vez de eso, asintió.

Andreas sonrió y tiró de ella hasta llevarla a las escaleras. Una vez abajo, tomaron el estrecho pasillo que conducía a los camarotes.

El interior estaba elegantemente decorado. Había un enorme jarrón de orquídeas sobre la mesa y una botella de champán se refrescaba junto a la cama. Las sábanas de seda estaban abiertas a modo de silenciosa invitación.

–Alguien se ha tomado muchas molestias –dijo ella.

–Hemos esperado tanto tiempo que lo mejor es que todos los detalles sean perfectos.

Carrie tragó saliva. Los nervios se apoderaron de ella. ¿Cumpliría ella las expectativas de Andreas? ¿Y si no...?

–¿Te ayudo a quitarte el vestido?

–No... no importa. Puedo yo sola.

–¿Te apetece una copa de champán?

–Sí, por favor.

Se dirigió hacia la cómoda y comenzó a quitarse las horquillas del cabello. En realidad, no quería beber nada, pero le servía de distracción.

Andreas se quitó el chaleco y la corbata y los puso sobre una silla antes de sentarse en la cama para descorchar la botella. Carrie lo miró con aprensión. Él parecía muy relajado y tan guapo como siempre. De repente, levantó la mirada y la sorprendió observándolo. Carrie apartó rápidamente la mirada.

Andreas sonrió y abrió la botella. Inmediatamente, sirvió dos copas y dejó la de ella sobre la mesilla de noche. Entonces, se reclinó sobre el cabecero para contemplarla. Carrie fingió que no sabía que él la estaba mirando, pero la tensión la atenazó por completo. Tal vez una copa era una idea estupenda.

El cabello le cayó por los hombros cuando retiró la última horquilla. Al verla, Andreas sintió que algo se tensaba dentro de él. Era tan hermosa... No sabía cómo había conseguido controlarse para no tocarla durante los últimos días. Había tenido que echar mano a su fuerza de voluntad e incluso agotarse físicamente nadando o haciendo ejercicio para no hacerlo. Incluso después de eso, no podía dejar de contemplarla con un fervor que lo sorprendía hasta a él mismo.

En aquellos momentos, mientras la observaba, ansiaba poder desabrocharle el vestido, pero se contuvo. Sería mucho más sugerente ver cómo se desnudaba ella y se ofrecía a él. Andreas jamás había estado con una mujer que no lo hubiera deseado abiertamente e iba a demostrarle a Carrie que, por mucho que quisiera fingir, lo deseaba perdidamente.

Carrie estaba teniendo problemas con uno de los corchetes del vestido.

–Andreas... Lo siento –susurró, dándose la vuelta–. Creo que me vendría bien tu ayuda. ¿Puedes desabrocharme?

–Claro –dijo él.

Dejó su copa y se acercó a ella. Se colocó a su espalda. Carrie se recogió el cabello hacia un lado y cerró los ojos cuando notó el roce de los dedos de Andreas contra la piel. Hábilmente, él le desabrochó el corchete y le bajó la cremallera.

–Gracias –susurró ella, con voz ronca.

Durante un segundo, Andreas no se apartó de su lado. Admiró la sensual línea de su largo cuello y la rectitud de su espalda. Quería apretarla contra su cuerpo, agarrarle la cintura y besar el delicado cuello mientras, con las manos, lentamente le acariciaba los senos.

En vez de eso, dio un paso atrás.

–Andreas –dijo ella. Había esperado que él la besara y el hecho de que no lo hiciera la había sorprendido profundamente–. Creía que...

Se había girado para mirarlo. Tenía el rostro arrebolado. Andreas la miró y se dio cuenta de que se tenía que sujetar el vestido con las manos para cubrirse las desnudas curvas de su cuerpo. Extendió una mano y le levantó la barbilla, obligándola a observar la pasión que se le reflejaba en los ojos.

Cuando se encontró con los de Carrie, sintió que se apoderaba de él una profunda alegría. Carrie no podía ocultar lo clara e inequívocamente que lo deseaba.

Le acarició el rostro, tocando la suavidad de su piel y la seda de su cabello. Entonces, ella dejó que el vestido se le deslizara entre los dedos y que cayera al suelo.

Capítulo 12

CARRIE, eres tan hermosa...

Andreas recorrió el cuerpo de la que ya era su esposa. La sensualidad de su voz inflamó aún más la necesidad que ella sentía de él.

Carrie sólo llevaba un minúsculo par de braguitas blancas de encaje y unas medias de encaje que le llegaban hasta la mitad del muslo y que se aferraban provocativamente a sus largas piernas. Tenía una figura perfecta, de pechos altos y firmes.

Las manos de Andreas le acariciaron los hombros y los brazos. Bajó la boca y capturó la de ella con posesivo beso que la excitó aún más. Tembló de placer cuando un brazo de Andreas le rodeó la cintura y la estrechó con fuerza contra él. Carrie sintió la potente erección de su esposo y este hecho la excitó aún más. Los pezones se le irguieron buscando las caricias.

Andreas la levantó fácilmente y la llevó a la cama como si fuera tan ligera como una pluma.

–Dios, te deseo tanto... –susurró él mientras la colocaba sobre las sábanas de seda–. Te deseo... tanto...

Fue enfatizando sus palabras con besos apasionados en el cuello de Carrie. Ella sintió que se le aceleraba el pulso. Entonces, los labios fueron bajando más y más. Las manos desgarraron las delicadas braguitas para dejar al descubierto la tierna feminidad de ella, a la que torturó con provocadoras caricias que encendieron el fuego del éxtasis por todo su ser.

Justo cuando Carrie creía que ya no podría soportar tanto placer, Andreas se apartó de ella y comenzó a desabrocharse la camisa. Ella lo miró con los ojos llenos de deseo al ver que comenzaba también a quitarse el pantalón. Tenía un cuerpo musculoso, fuerte, sin un gramo de grasa.

Carrie admiró las poderosas líneas de su torso y los tensos músculos del estómago. El deseo se despertó con fuerza dentro de ella, por lo que se arrodilló en la cama a su lado. De repente, se sentía impaciente. Le colocó las manos sobre el pecho y le besó los labios. Durante un instante, sintió que el cuerpo de Andreas se tensaba. Entonces, él le devolvió el beso. Aquella vez, la pasión se extendió entre ambos como si se tratara de un fuego sin control. Carrie se olvidó de todo excepto de lo mucho que lo amaba. Se olvidó de sentirse tímida, tensa... Le devolvía los besos con una frenética necesidad que ni siquiera había imaginado que poseyera.

–Tranquila, cariño –comentó él, con una sonrisa–. Tenemos que ir más despacio para poder durar más –añadió. Al ver que ella se sonrojaba, se echó a reír–. Ven aquí...

Rápidamente, la hizo tumbarse sobre la cama y se hizo cargo de la situación. Utilizó todas sus habilidades para darle placer sin perder el control. La boca buscaba los senos, la lengua lamía los erectos pezones, saboreándolos mientras la acariciaba con las manos hasta el punto de que ella pensó que iba a morir de puro éxtasis.

–Ahora, dime lo mucho que me deseas... –susurró, sentado a horcajadas encima de ella. Vio lo henchidos y cálidos que tenía los pechos, que se erguían como si estuvieran suplicando que volvieran manos y boca.

–Sabes que te deseo –replicó ella–. Por favor, Andreas... no quiero esperar más.

Él sonrió y extendió la mano hacia la mesilla de noche. Carrie pensó que estaba buscando un preservativo y le agarró la mano.

–No tenemos que utilizar nada. Estoy protegida.

Andreas la miró y frunció el ceño.

–He estado tomando anticonceptivos por problemas femeninos...

–¿Problemas femeninos?

–Andreas, deja de interrogarme. Te necesito... –ronroneó mientras le acariciaba sugerentemente el torso.

Él dijo algo en griego y encendió la luz de la mesilla de noche. Carrie estuvo a punto de pedirle que apagara la luz, pero entonces él la besó y ella se olvidó de todo.

Andreas le separó las piernas con las suyas sujetándola donde él quería. Entonces, la besó de un modo lento y sensual.

–Bueno, ¿dónde estábamos?

–Me estabas volviendo loca de placer...

–¿De verdad?

Andreas agarró las dos muñecas de Carrie con una mano y se las colocó encima de la cabeza. Así, completamente inmovilizada, comenzó a acariciarle los senos con la otra mano. Entonces, la penetró de repente. El firme movimiento la hizo gemir instintivamente primero de dolor y luego de placer.

–Carrie, ¿te he hecho daño?

–No...

–Te he hecho daño, ¿verdad? –dijo. De repente, pareció comprenderlo todo–. ¿Sigues siendo virgen?

–¿Y qué importa si soy virgen o no? –preguntó ella, con un tono entre enfadado y furioso.

–Evidentemente te importa a ti. Tendrías que habérmelo dicho, Carrie. Habría sido más cuidadoso contigo.

–No necesito que seas cuidadoso...

Mientras la observaba, Andreas sintió una curiosa mezcla de sentimientos hacia ella. Quería cuidarla, tranquilizarla, decirle que todo iba a salir bien...

–¡No es para tanto! –exclamó ella. Se cubrió con las sábanas y se sentó en la cama.

–Para mí lo es –dijo él.

–¿Por qué?

–Tal vez lo más importante sea por qué no te acostaste con ese tipo de Londres si no es para tanto.

–No estaba lista para hacerlo. Entonces, él se acostó con otra mujer y... Bueno, yo lo descubrí hace un mes y la relación se rompió.

Andreas la estrechó con más fuerza contra su cuerpo. Siempre había sospechado lo vulnerable que Carrie era. Había aprendido de Jo cómo el pasado y el rechazo de su padre la habían afectado. Le resultaba difícil confiar. Sin embargo, se sentía tan malo como aquel tipo de Londres. No había hecho caso de lo que sospechaba. La había obligado a casarse con él y a meterse en su cama. Un fuerte sentimiento de culpabilidad lo desgarró por dentro.

–Andreas, en una ocasión me dijiste que me lo enseñarías todo sobre la pasión. Acordamos que trataríamos de conseguir que este matrimonio funcionara... por Lilly. ¿Has cambiado de opinión por algo tan trivial?

–No es trivial, Carrie. Ni he cambiado de opinión.

Carrie sintió un profundo alivio cuando él volvió a tomarla entre sus brazos y a besarla. En aquella ocasión, profundizó la exploración de la boca pero abrazándola tiernamente al mismo tiempo. Ella le rodeó la espalda con los brazos y se apretó con fuerza contra él. Le parecía que nunca iba a estar lo suficientemente cerca.

–No creo que necesites muchas clases en lo que se refiere a la pasión, pero volveremos a empezar, esta vez más lentamente...

Carrie se echó a reír mientras él volvía a tumbarla suavemente sobre la cama. Efectivamente, en aquella ocasión Andreas se lo tomó con más calma. La acarició suavemente, dándole un profundo placer hasta que ella se olvidó de todo excepto de la salvaje necesidad que Andreas estaba creando dentro de ella.

Estaba dispuesta a suplicar cuando él, por fin, poseyó suavemente su cuerpo. Aquella vez no hubo dolor. Sólo una increíble sensación de placer. Andreas sólo la penetró más profundamente cuando estuvo seguro de que ella estaba lista. Fue incrementando el ritmo con suave intensidad. Carrie jamás había imaginado que pudiera existir un gozo tan dulce. Las sensaciones se acumulaban dentro de ella, transportándola al siguiente nivel de placer. Él le susurraba al oído en griego. Cuando sintió por fin que ella estaba a punto de alcanzar el clímax, se dejó llevar. Un placer sin límites explotó entre ellos. Entonces, Andreas le capturó los labios con un dulce beso.

Cuando la soltó, ella se quedó inerme, como si Andreas le hubiera arrebatado toda la fuerza. Muy delicadamente, ella se acurrucó contra el cuerpo de su esposo.

–Ha sido maravilloso –susurró–, pero me siento tan cansada...

–En ese caso, duerme, cielo.

–¿Y Lilly? Le toca pronto el biberón... ¿Está bien? –preguntó, instantes antes de mirar el monitor que había junto a la cama.

Andreas sonrió y le dio un beso en lo alto de la cabeza.

–Está despierta, pero parece contenta.

–Debería ir a por ella... –musitó Carrie. No podía evitarlo, pero los ojos se le cerraban.

–Ya lo haré yo. Tú duerme...

Cuando Carrie se despertó, el camarote estaba sumido en la oscuridad. Estaba sola en la enorme cama. Recordó lo que había ocurrido allí entre Andreas y ella y lo maravilloso que había sido hacer el amor con él. Una poderosa pasión le invadió el cuerpo...

Jamás hubiera imaginado que pudiera sentirse así. Andreas le había mostrado una faceta de sí misma que ni siquiera había sospechado que existiera. Sonrió con satisfacción.

Entonces, se preguntó cómo se encontraría Lilly y se incorporó de repente. Miró hacia los monitores y vio que la cuna estaba vacía.

Seguramente, Andreas le estaba dando de cenar. Se levantó de la cama y se dirigió al cuarto de baño. Se puso un albornoz blanco que colgaba de la puerta y salió del camarote para asegurarse de que todo iba bien.

Oyó a Andreas antes de verlo. Tenía a Lilly sentada en la trona y estaba tratando de interesarla con una cucharada de comida.

–Vamos, cielo –decía, suavemente–. Está bueno... te gustará.

No se había percatado de que Carrie lo estaba observando. Ella dio un paso al frente y Andreas se dio la vuelta.

–Hola, dormilona. ¿Cómo te sientes?

–Bien –respondió ella mientras se acercaba a Lilly–.

Hola, cariño. ¿Cómo estás? Bueno, ¿qué hay esta noche en el menú?

–Puré de chirivías, pero no parece ser uno de sus favoritos.

–Pues parece que se lo estás vendiendo muy bien –comentó ella con una sonrisa–. Vas a ser un papá excelente.

Andreas no sonrió. De repente, parecía molesto... ¿O acaso era su imaginación y simplemente se estaba concentrando en Lilly?

–Bueno, como estás tan ocupado, voy a ir a darme una ducha –comentó ella. Se sentía rechazada.

–Sí, hazlo.

Carrie permaneció inmóvil un instante. Quería que Andreas la abrazada y la besara, pero no lo hizo. Ella no se atrevió a tomar la iniciativa, lo que parecía una locura después de lo que había ocurrido entre ellos aquella tarde.

–Está bien. Hasta luego.

Besó a Lilly y regresó al camarote. Mientras se duchaba, decidió que probablemente había sido su imaginación. ¿Qué motivos tenía Andreas para mostrarse tan frío con ella? Seguramente se había comportado así porque tenía toda su atención puesta en Lilly. A menos que, dado que se había acostado ya con ella, hubiera perdido todo el interés...

Dejó que el agua caliente cayera sobre ella. Decidió que sólo porque lo hubieran pasado bien en la cama no significaba que la relación que había entre ellos fuera de amor. Sólo porque la besara tan apasionadamente y la acariciara con ternura no significaba que estuviera enamorado de ella.

De todos modos, podría ser que se estuviera imaginando su frialdad, por lo que no debía mostrarse tan sensible. Cerró el grifo de la ducha y tomó una toalla.

Salió a la habitación y recogió su vestido de novia del suelo. Lo colgó antes de ponerse un par de pantalones cortos y una camiseta. Estaba sentada en el tocador y acababa de secarse el cabello cuando Andreas entró en el camarote.

–¿Se encuentra Lilly bien?

–Sí, está bien. Y tú estás muy guapa.

–Mejor que antes –comentó ella, con un sonrisa.

Andreas se colocó detrás de ella y los dos se miraron a través del espejo.

–Carrie, hemos estado tan ocupados que no hemos firmado el acuerdo prematrimonial que te mencioné.

Carrie se quedó atónita. Jamás se habría imaginado que era eso lo que él le iba a decir.

–Oh...

–En realidad, lo tengo aquí –dijo. Abrió un cajón y le colocó los papeles encima del tocador–. Yo ya lo he firmado. Faltas tú. Tómate tu tiempo para leerlo, pero encontrarás que todo está en orden.

–Supongo que es práctico...

–Es por Lilly. Como te dije antes, tenemos que protegerla si esto no sale bien.

–Sí, supongo que sí.

–Lo mejor es zanjar el tema –dijo. Encontró un bolígrafo al lado del teléfono y se lo entregó.

–¿A qué te refieres? ¿Al matrimonio o al papeleo? –dijo. Trató de bromear, pero fue un error. Andreas la observó con fría reserva.

–Carrie, ya te he explicado que quiero que este matrimonio funcione, pero la vida no es siempre lo que nosotros queremos. Todos tenemos nuestras necesidades y nuestros sueños. Si en el futuro los nuestros no...

encajan, no quiero que ninguno de los dos se sienta atrapado. Además, tenemos una niña pequeña de la que preocuparnos.

–No tienes que recordármelo constantemente, Andreas. Esa niña es la única razón por la que me he casado contigo.

Durante un momento, el silencio que cayó entre ellos estuvo cargado de tensión. Entonces, él se encogió de hombros.

–Sé que los dos pensamos del mismo modo. El bienestar de Lilly es nuestra prioridad.

Carrie se mordió el labio. Deseó no haber dicho lo que acababa de decir. Lilly era muy importante para ella, pero lo que le había dicho a Andreas no era del todo cierto.

–Por lo tanto, lee y firma ese contrato para acabar con esto –le dijo Andreas fríamente.

Carrie sintió que el corazón le golpeaba con fuerza en el pecho. ¿Cómo podía ella olvidar lo mucho que lo amaba?

Tomó el bolígrafo y firmó el papel sin leer nada.

–Ya está. Hecho.

–Te lo dejo por si acaso quieres leerlo más tarde.

–No hay necesidad. Confío en ti, algo que a ti parece que te cuesta hacer conmigo.

–Basta ya, Carrie –le espetó él–. No sabes de lo que estás hablando. Esto no tiene nada que ver con la confianza. Se trata de ser realista y de salvaguardar a Lilly para el futuro.

–¿Cómo te atreves a hablarme de ese modo? ¿Acaso piensas que no sé que este matrimonio es un riesgo? Andreas, tengo razones para ser más escéptica y cínica sobre el matrimonio que tú, al menos tus padres fueron felices. Mi infancia fue un infierno por el divorcio de mis padres.

–En ese caso, comprenderás lo importante que es esto. No podemos permitir que le ocurra algo así a Lilly. Francamente, nuestro matrimonio no es muy sólido... Ninguno de los dos sabe en estos momentos si hemos hecho bien. Sólo el tiempo nos lo dirá. Por lo tanto, revisaremos la situación dentro de cinco años... y seremos prácticos.

Carrie sabía que Andreas tenía razón, pero su actitud fría y casi cínica le resultaba difícil de aceptar. Quería decirle que ella sí lo amaba, que llevaba dos años amándolo y que seguiría sintiendo lo mismo dentro de cinco. Quería decirle que nadie le había hecho sentirse del modo en el que él le hacía sentirse. Quería echarse entre sus brazos y fundirse con él.

Sin embargo, él sólo pensaría que era una ingenua porque, evidentemente, él no sentía lo mismo. Si no fuera así, él no podría hablar de aquel modo, ni podría mostrarse tan distante con ella.

–Por supuesto, tienes razón. Lo mejor es ser práctico.

Andreas asintió y, durante un instante, la miró a los ojos.

–Por cierto, he disfrutado mucho con lo de esta tarde...

El cambio de tema provocó un conflicto de sentimientos en Carrie.

–Sí... No ha estado mal...

–¿Que no ha estado mal? Ha estado más que bien.

Andreas le miró fijamente los labios. Carrie deseó que él la besara, pero Lilly eligió aquel momento para hacerse notar. Sus gritos resonaron con fuerza por el camarote a través del intercomunicador.

–Voy a verla –susurró ella.

Andreas la observó mientras ella se marchaba del camarote. Entones, tomó el contrato. Se pasó la mano por el cabello y se recordó que el contrato era necesario. Tenían que saber a qué atenerse si las cosas iban mal.

Él era realista... Tenía que serlo, por el bien de todos.

Capítulo 13

HABÍA luna llena en el cielo. Dibujaba un camino plateado sobre la tranquila superficie del mar. Carrie se preguntó adónde la llevaría el sendero de su vida... Adónde llegaría su matrimonio. Cada vez que pensaba en la escena que se había producido y en el contrato, quería echarse a llorar.

De repente, se sintió patética. Andreas le había hecho firmar un contrato. ¿Y qué? Se lo había dicho desde el principio. Además, sabía que él no la amaba y que aquél no era un matrimonio corriente. Evidentemente, debían ser prácticos. Por Lilly. El hecho de que ella se hubiera olvidado de la realidad por una fabulosa tarde de sexo era su problema.

A pesar de todo, sus palabras no le hicieron sentirse mejor. No había nada peor que el amor no correspondido. Decidió que no se iba a amargar por ello. Se comportaría igual que Andreas. Él estaba tranquilo, frío... Igual lo estaría ella.

Sin embargo, ¿cómo podía hacer el amor con tanta pasión si no albergaba sentimiento alguno en su alma?

Decidió que no merecía la pena perder el tiempo pensando en eso. Todo el mundo sabía que a los hombres se les daba muy bien compartimentar sus sentimientos. Podían pasar de la pasión a la indiferencia con un suspiro. Ojalá ella también pudiera...

Escuchó un sonido sobre la cubierta, a sus espaldas.

Se paso rápidamente la mano por el rostro para asegurarse de que no había lágrimas. No podía consentir que Andreas supiera que estaba disgustada. Él pensaría que era una estúpida o que estaba loca.

–Me preguntaba dónde estabas. Lilly lleva dormida mucho tiempo.

–Se me ocurrió salir un rato a tomar el aire.

–Aquí se está muy tranquilo –comentó él mientras se sentaba a su lado.

–Sí, mucho...

–Después de las últimas semanas, es lo que los dos necesitamos.

–Supongo que sí. Siento haberme mostrado tan sentimental antes. Creo que podrías haber elegido otro momento más sutil para pedirme que firmara el contrato. Para una mujer, resulta difícil de aceptar que se ha casado sólo por razones prácticas, ¿sabes?

–No creo que hubiera habido nunca un momento mejor para hacerlo.

–Supongo que no –dijo. Entonces, suspiró y miró hacia el cielo, que parecía cuajado de diamantes sobre terciopelo negro–. El cielo nunca está así en Londres.

–Hay demasiado contaminación lumínica.

–Eres tan... realista. Dime, ¿has estado alguna vez enamorado?

–¿Qué clase de pregunta es ésa para preguntársela a tu esposo en la luna de miel?

–Probablemente sea una estupidez, pero es que no sabemos mucho el uno del otro. Nunca hemos hablado de relaciones con otras personas. Tu padre es un hombre muy romántico –comentó ella, de repente–. Parece que amó mucho a tu madre.

–Sí. Tanto que se casó con ella en contra de los deseos de su familia. Huyeron.

–No lo sabía...

–En su momento, causó un buen revuelo. Mi padre era de una familia muy acaudalada y trabajaba en la naviera de la familia, pero, cuando se opuso a los deseos de su familia, lo desheredaron. Theo y yo crecimos en un barrio muy pobre de Atenas. No teníamos nada.

–Supongo que sería muy duro.

–Así es, pero es la clase de experiencia que hace a un hombre más duro. Más decidido. Entonces, cuando mi madre murió, mi padre recibió su herencia. Entonces, él ya no la quería. Nos la dio a nosotros, pero nosotros tampoco la queríamos. La de Theo está en el banco. Es el dinero que le ha dejado a Lilly. Yo di la mía a una organización benéfica hace mucho tiempo. La utilicé para conseguir el dinero que necesitaba para la editorial, pero jamás toqué un centavo. ¿No te contó Jo nunca nada de esto?

–No.

–Y para responder a tu pregunta, sí, estuve enamorado en una ocasión. Me comprometí, pero de eso hace ya mucho tiempo...

–¡Estuviste prometido!

–Sí. Ocurrió hace unos cinco años.

–¿Qué ocurrió?

–No pudo ser –dijo él, sin más.

–Deja que adivine lo que ocurrió. Tú pusiste tu negocio lo primero y a ella no le gustó.

–Algo así.

Carrie tragó saliva. Resultaba ridículo sentir celos por algo que había ocurrido hacía ya tanto tiempo, pero así era. El hecho de que Andreas hubiera amado a otra mujer, pero no pudiera amarla a ella, le dolía.

–Jo jamás me dijo que... bueno, en realidad no hablamos mucho sobre ti.

Eso era cierto.

–Jo no lo sabía. Y tampoco Theo. Ocurrió cuando yo estaba trabajando en París –dijo. Entonces, cambió rápidamente de tema–. ¿Y tú? ¿Qué me dices de ese Mike? ¿Te disgustaste mucho cuando te enteraste de que estaba viendo a otra mujer?

Carrie lo miró. No podía decirle que Mike no había significado nada. Que él era el amor de su vida.

–Como tú has dicho, no pudo ser.

Andreas extendió la mano y le acarició suavemente el rostro.

–Sé que nos hemos casado simplemente por razones prácticas, pero podemos hacer que esto funcione, Carrie.

–Eso espero.

–Además, en la cama funcionamos muy bien... Somos muy compatibles...

–Pero es sólo sexo. Una reacción química del cerebro. El modo que tiene la naturaleza de decir que podríamos tener unos hijos muy guapos.

Andreas se apartó secamente y la miró.

–No lo creo.

Carrie frunció el ceño al notar la frialdad de su voz. Sin embargo, antes de que pudiera decir nada, él la tomó entre sus brazos y la estrechó contra su cuerpo.

–Ciñámonos a la teoría del sexo fantástico, ¿vale? Yo lo prefiero.

–Andreas...

Él la besó e interrumpió lo que ella iba a decir. El beso no fue una caricia dulce, sino cruel e intenso en sus demandas.

Carrie se encontró respondiendo instintivamente. Le

devolvió el beso. Efectivamente, aquello no era amor, pero... resultaba tan agradable...

Carrie estaba mirando por la ventana de la cocina. Estaba a kilómetros de distancia, pensando en la luna de miel. Fingiendo que todos los sentimientos que había compartido con Andreas eran reales. Lo había hecho en varias ocasiones y, en casa, la ayudaba a relajarse. Le ayudaba a aplacar la tristeza que crecía dentro de ella. Se dijo que era una diversión sin importancia.

Se recordaba que no podía tener todo en la vida y que, al menos, Andreas estaba haciendo el esfuerzo de ocultar su falta de sentimientos hacia ella. Tal vez algún día aprendería a amarla.

Sin embargo, llevaban ya casados tres meses y su inteligencia le decía cada vez con más frecuencia que eso era cada vez menos probable.

Los días habían caído en la rutina. Todas las mañanas, Andreas se marchaba pronto a trabajar. Carrie cuidaba de la niña y, cuando se dormía, encendía el ordenador y hacía un poco de trabajo para el banco. Sólo hacía unas cuantas horas a la semana. Así conseguía la independencia económica de su marido, una necesidad que Andreas no parecía comprender dado que le había dado una tarjeta de crédito y su propia cuenta, pero que aceptaba sin problema.

Por las tardes, llevaba a Lilly a dar un paseo, la bañaba, le daba la cena y la metía en la cama. Entonces, esperaba con impaciencia que Andreas llegara a casa.

Sin embargo, esa semana había novedades en su rutina. Todas las mañanas, después de que Andreas se marchara a trabajar, Carrie sentía náuseas y vomitaba.

Mientras calentaba agua, se dijo que no podía estar

embarazada porque estaba tomando la píldora. Había ido al médico de la ciudad para que le recetara más. Había tardado dos días en conseguir las píldoras y no las había podido tomar, pero sólo por dos días... ¿Qué posibilidades tenía de quedarse embarazada en dos días?

Llenó una taza de agua caliente y echó un poco de café instantáneo. Seguramente sería un virus estomacal.

El rico aroma del café llenó el aire de la cocina. Trató de llevarse la taza a los labios, pero el estómago pareció revolvérsele tanto que terminó tirándolo por el fregadero. Incluso el aroma le daba ganas de vomitar.

Siempre le había gustado el aroma del café.

Se sentó a la mesa para reponerse un poco. No podía ser un virus porque le atacaba sólo cuando tomaba café. Además, no sería peor por las mañanas que por las noches.

Iba a tener que dejar de mentirse y reconocer la realidad. Ningún método anticonceptivo es seguro al cien por cien y cuando se han dejado de tomar algunas pastillas...

Existía la posibilidad de que estuviera esperando el hijo de Andreas. ¿Cómo se tomaría él ser padre cuando Lilly era aún tan pequeña? No habían hablado nunca del tema. Todos sus planes se habían centrado en Lilly.

Entonces, recordó que él no se había mostrado muy entusiasta cuando, durante la luna de miel, ella le había mencionado la posibilidad de tener un hijo. El pánico se apoderó de ella. ¡Andreas no quería tener hijos con ella! Esa clase de asunto sólo se planteaba cuando una pareja está enamorada y Andreas no estaba enamorado de ella. Seguramente, se horrorizaría si ella le dijera que estaba embarazada.

El sonido de pasos en la escalera hizo que Carrie se recompusiera rápidamente. Se puso a hacer como si estuviera leyendo unos gráficos que había impreso para su trabajo. No quería que nadie lo supiera aún, al menos hasta que hubiera tenido tiempo de aceptarlo.

Era Marcia.

–Llegas a tiempo. Acabo de hervir agua para café.

–Genial. Voy a meter esta ropa sucia en la lavadora –dijo Marcia–. ¿Te encuentras bien?

–Sí, estoy bien –dijo Carrie forzando una sonrisa.

–Pues no lo pareces...

–Creo que estoy un poco cansada.

–¿Quieres que te haga un té?

–No. Creo que hoy no voy a tomar nada que tenga cafeína. Creo que hace que me sienta cansada.

Marcia cargó la lavadora y se volvió de nuevo a mirar a Carrie.

–¿Y te da también el té ganas de vomitar?

Carrie se sonrojó. ¡No había dicho nada de vomitar!

–A mí me pasaba lo mismo cuando estaba embarazada –dijo Marcia sin esperar a que respondiera–. Era horrible.

Carrie no supo qué decir. ¿Cómo podía haberlo adivinado Marcia? En realidad, llegaba todos los días cuando ella se sentía especialmente mal y no tenía ni un pelo de tonta.

–Yo no... Es decir, no sé si estoy embarazada o no –admitió.

–Pues deberías ir a ver al doctor Appelou.

–Supongo.

–Nada de suponer. Me alegro mucho por los dos –dijo Marcia–. Después de tanta tristeza, es maravilloso. Andreas se pondrá tan contento...

–Yo no estoy tan segura.

–¡Querida mía! ¡Claro que se pondrá contento! –exclamó Marcia mientras se sentaba a su lado–. Los dos estáis hechos el uno para el otro.

Carrie no dijo nada. No podía confiar en ella ni decirle que su matrimonio era simplemente una farsa. Era demasiado personal.

–Sabes cuál es el problema, ¿verdad? –comentó Marcia mientras le tomaba la mano–. Tus hormonas te están poniendo muy sensible. Eso indica que estás embarazada. Sin duda.

Carrie sonrió a través de las lágrimas. Deseó de verdad que sus problemas fueran tan sencillos.

–Es maravillo tener un niño en las entrañas. No debes tener miedo. Además, tienes un marido que te quiere mucho. ¿Qué más puedes pedir? Debes decírselo inmediatamente.

–Lo haré, pero cuando esté completamente segura –dijo Carrie.

–Está bien, pero antes de hacerlo, ¿por qué no le insinúas algo a ver cómo reacciona? Ya verás como está encantado. Adora los niños. Adora a Lilly. Todo saldrá bien, Carrie.

–Está bien. Gracias, Marcia.

Marcia asintió y se levantó.

–Menos mal que no hemos regalado aún la ropa que no le sirve ya a Lilly –dijo, con una sonrisa–. Te la pondré en tu habitación. Por si es una niña.

Capítulo 14

ANDREAS se marchó pronto de su despacho. Aquel día no había podido concentrarse en nada. Sólo podía pensar en Carrie. Llevaba unos días con un aspecto muy cansado. Andreas no creía que estuviera durmiendo bien y, a veces, cuando la miraba, notaba en ella una profunda tristeza.

La culpabilidad se apoderó de él.

La había obligado a casarse con él. ¿Era él el culpable de la triste mirada de sus ojos?

No quería enfrentarse a aquel pensamiento porque la necesitaba. Los únicos momentos en los que parecía relajada y feliz era cuando estaba con Lilly.

Desde los controles de su helicóptero vio la isla de Pyrena. Efectivamente, la isla era muy hermosa, pero no había mucho que hacer. Tal vez Carrie estaba aburrida. Tal vez debía sugerirle que se fueran a vivir a Atenas. Andreas sólo había decidido instalarse allí por su hermano Theo. Éste tenía allí su negocio y Andreas había decidido irse a vivir también allí para ayudarlo.

Aterrizó en el helipuerto y tomó su maletín. Se dirigió inmediatamente a la casa y, para su sorpresa, encontró a Marcia dándole el biberón a Lilly, y no a Carrie como era su costumbre.

–¡Andreas, llegas temprano a casa! –exclamó la mujer.

–Sí. Pensé en darle una sorpresa a mi esposa y ver

un ratito a Lilly antes de que se acueste. Para variar. ¿Dónde está Carrie?

–Arriba. Me ofrecí a darle a la niña el biberón porque ella parecía muy cansada. Le dije que fuera a echarse un rato. Sin embargo, deberías despertarla ahora porque me dijo que no la dejara dormir más tarde de las tres.

–Gracias, Marcia.

Andreas salió de la cocina y subió los escalones de dos en dos. Mientras se dirigía hacia la habitación principal, fue quitándose la corbata y la chaqueta. No era el único que se había dado cuenta de que Carrie parecía muy cansada. Tal vez debería trabajar unas horas menos al día. Carrie lo necesitaba a su lado.

Abrió la puerta. Las cortinas estaban echadas. Carrie estaba tumbada de costado encima de la colcha. La habitación estaba en penumbra y el ventilador daba vueltas y más vueltas sobre sus cabezas. Carrie estaba profundamente dormida.

Andreas se acercó silenciosamente. Ella sólo llevaba una minúscula camisola y unas braguitas. Tenía el cabello rubio extendido por la almohada como si fuera hilos de oro. Estaba tan guapa, tan sexy...

Se sentó en la cama y la miró. Tenía la piel perfecta, casi transparente. Largas pestañas y rosados labios adornaban su rostro. Las dulces curvas de su cuerpo... La deseaba tanto. El deseo que llevaba todo el día consumiéndolo se desató como si fuera un tigre dormido.

–Carrie...

Le deslizó un dedo por el hombro desnudo. Ella abrió los ojos.

–¿Qué hora es? –murmuró.

–¿Acaso importa? –replicó él. Le capturó los labios con un sensual y delicioso beso. Ella se puso de espaldas y le acarició los hombros–. Eres maravillosa... Tan sexy... Además, ¿sabías que sabes a menta y a miel?

–Marcia me ha preparado una infusión –dijo. De repente, frunció el ceño y trató de incorporarse–. ¿Qué hora es?

–Relájate. Sólo son las tres. Yo he llegado antes que de costumbre...

–¡Las tres! ¡Sólo quería cerrar los ojos unos minutos!

–Probablemente necesitabas descansar. ¿Te sientes mejor?

–Sí. ¿Por qué has llegado tan pronto a casa?

–Para ver a mi esposa y a mi niña... a la luz del día. Y ahora me alegro mucho de haberme dejado llevar por el impulso.

–Andreas, tengo una cita... ¡Me he dormido!

–¿Una cita? ¿Dónde?

–Con... No importa.

Carrie no podía decirle que tenía cita con el médico. Andreas comenzaría a hacer preguntas y ella no podía responderlas aún.

–¿De qué se trata? ¿De una cita en la peluquería o algo así? ¿Por qué no llamas para que te den para otro día? –le preguntó él. Empezó de nuevo a besarla al tiempo que deslizaba la mano por debajo de la camisola para acariciarle los pechos.

Ella respondió instintivamente. Los senos se le irguieron de necesidad.

–Ya lo haré más tarde...

La respiración se le aceleró cuando vio cómo él se desabrochaba la camisa y se disponía a hacer lo mismo con los pantalones.

–Quítate la camisola –le ordenó él, con voz ronca.

Ella se sacó la delicada prenda por la cabeza. Andreas le contempló con lascivia los firmes pechos. Entonces, Carrie volvió a reclinarse sobre las almohadas. Si por lo menos la amara...

Andreas notó la tristeza que se le reflejaba en los ojos.

–¿Carrie?

–No importa. Hazme el amor –susurró, abrazándolo.

Andreas la besó y moldeó el cuerpo contra el de ella. Las manos la acariciaban suavemente, lentamente, proporcionándole sensaciones a las que no podía resistirse ni ignorar. Le susurró algo en griego y Carrie cerró los ojos y fingió que él le estaba diciendo que la amaba. Entonces, la penetró con fuerza, reclamándola por completo. Ella se arqueó contra él. El deseo y la pasión iban en aumento.

Normalmente, Andreas se tomaba su tiempo para darle placer, pero aquel día su ritmo era más rápido, más impetuoso. No había tiernos besos. Simplemente la obligaba a darle más, poseía con dominancia.

Cuando por fin ella explotó entre sus brazos, él la agarró con fuerza y absorbió sus movimientos, devorándole de nuevo los labios.

Permanecieron durante un largo tiempo tumbados sobre la cama, abrazados. Eran como un solo cuerpo. No se sabía dónde empezaba uno ni dónde terminaba el otro. Estaban completamente saciados. Completamente agotados.

Andreas fue el primero en moverse. Le apartó el cabello del rostro para poder mirarla.

–¿Te encuentras bien?

Ella asintió. Le resultaba imposible hablar. Quería que Andreas siguiera abrazándola, que le dijera que la amaba...

Sin embargo, Andreas se apartó de ella y comenzó a vestirse. Mientras Carrie recogía la suya, miró el reloj. Si no se marchaba de la casa en menos de veinte minutos, no llegaría a su cita con el médico.

–Voy a ducharme –dijo–. ¿Crees que me podrías llamar un taxi? Voy a tratar de ir a esa cita –añadió, antes de cerrar la puerta.

–Yo te llevo a la ciudad.

–Gracias, pero es mejor que te quedes aquí para cuidar de Lilly. Marcia se tiene que ir pronto. Yo me iba a llevar a Lilly, pero dado que tú estás aquí, ya no hay necesidad.

Carrie se metió en la ducha y cerró los ojos. Tenía que ir sola al médico. No quería que Andreas supiera nada, al menos hasta que estuviera del todo segura de que estaba embarazada...

Cuando regresó al dormitorio, iba ataviada con un vestido azul y llevaba el cabello recogido con una coleta. Tenía un aspecto joven y fresco.

Andreas estaba hablando por teléfono con alguien en griego. La observaba mientras ella terminaba de arreglarse y de maquillarse.

–¿Me has pedido el taxi?

–Sí. Debería llegar dentro de un minuto –comentó él. Se acercó a la ventana para mirar y, entonces, vio una bolsa llena de ropa de bebé–. ¿De dónde ha salido esto?

–Las he sacado de las pertenencias de Lilly. Ya le quedan demasiado pequeñas.

–Las llevaré al garaje. Podemos donarlas a una organización benéfica.

–Bueno, podríamos necesitarlas...

–No las necesitaremos, Carrie –replicó él, con determinación–. Me desharé de ellas.

Se produjo un largo silencio. Carrie sintió una extraña sensación de desolación. A pesar de todo, insistió.

–Bueno, no lo sabemos con seguridad. Es decir, yo podría quedarme embarazada...

–No, Carrie. Un bebé no está en la agenda...

Había esperado aquella respuesta, pero las palabras le habían dolido más de lo que hubiera creído.

–¿Carrie?

–Tengo que marcharme. Creo que ya me está esperando el taxi.

Se dirigió hacia la puerta. Por supuesto que no quería tener un hijo con ella. Lo único que quería de ella era sexo y una niñera de fiar para Lilly. Sólo resultaba conveniente. Nada más.

Cuando se metió en el taxi dando un portazo, no pudo resistir la tentación de mirar hacia la ventana de su dormitorio. Andreas seguía allí. Parecía una estatua rígida, sin sentimientos.

¿Qué iba a hacer si de verdad estaba embarazada? ¿Le obligaría Andreas a que abortara? Aquel pensamiento hizo que se cubriera el vientre con gesto protector. ¡No podría hacerlo! Se negaría... y lo abandonaría.

¿Y Lily?

Le dio al taxista la dirección de la consulta y se reclinó sobre el asiento para tratar de pensar.

«Un bebé no está en la agenda».

¿Cómo se había atrevido a decirle eso? Sabía que Andreas era un hombre arrogante, dominante, pero también conocía su otro lado. Sabía que podía ser tierno y amable y que amaba profundamente a Lilly. Adoraba a la niña y se mostraba tan protector con ella...

Efectivamente, lo que sentía por Carrie no era nada

profundo. No la amaba, pero la había tratado con respeto y calidez. De hecho, había habido ocasiones en las que le había resultado muy fácil creer que él sentía algo por ella...

¿Cómo podía haberle dicho algo tan cruel? ¡Ella era su esposa! Sin embargo, su matrimonio jamás había sido convencional. Además, Andreas guardaba en su despacho un papel con una cláusula que permitía dar por finalizado el matrimonio...

Capítulo 15

CARRIE estaba sentada en la terraza de una taberna mirando el mar. El sol estaba comenzando a ponerse y parecía prender fuego al agua con sus rojizas tonalidades. Había perdido la noción del tiempo desde que salió de la consulta del médico. Lo único que sabía era que no podía ver a Andreas en aquellos momentos. No podría soportar el gesto que se le dibujaría en el rostro cuando le diera la noticia.

Se había dirigido hacia el puerto y, por una extraña coincidencia, se había sentado en la taberna en la que se conocieron.

De repente, su teléfono comenzó a sonar. Lo sacó del bolso y vio que era Andreas. Miró el nombre en la pantalla y se lo volvió a meter en el bolso.

¿Qué iba a decirle? Se repetía las mismas frases una y otra vez. «Andreas, estoy embarazada de dos meses, pero no tienes que preocuparte. No quiero nada de ti. Me marcharé...».

El teléfono volvió a quedar en silencio.

¿Y adónde iría? Si Lilly no formara parte de la ecuación, se iría a Londres, pero no podía dejar a la niña. Ya sería bastante difícil dejar a Andreas.

Parecía que tendrían que recurrir al plan B de Andreas. Deseó haber leído el maldito acuerdo prematrimonial. Recordó que él le había dicho algo sobre vivir cerca, compartir a Lilly y que él se ocuparía económicamente de ella.

No quería su dinero. Sólo quería que la amara a ella y a su bebé.

Los ojos se le llenaron de lágrimas.

–¿Estás esperando a alguien?

La voz masculina tan familiar le sobresaltó el corazón. Miró a Andreas con un sentimiento de incredulidad.

–Me gustaría decirte que estoy esperando a unos amigos, pero...

–Sólo soy yo, desgraciadamente. ¿Puedo sentarme? –le preguntó. Realizó la pregunta con cortesía, pero con dureza.

–¿Qué estás haciendo aquí, Andreas?

–Yo estaba a punto de hacerte la misma pregunta.

–Estoy tomándome una copa.

Andreas miró el vaso vacío que ella tenía delante y levantó la mano para llamar al camarero. Le pidió en griego algo para él y luego la miró a ella.

–¿Quieres lo mismo?

–Sólo quiero... No estoy de humor para esto, Andreas.

Él la ignoró y pareció pedirle algo.

–Te he pedido una copa de vino.

–Estaba bebiendo agua con gas.

–¿Desde cuándo bebes eso?

«Desde que estoy embarazada». Las palabras estuvieron a punto de escapársele de los labios.

–¿Quién está cuidando a Lilly? –le preguntó.

–Marcia. Su madre está visitando a unos amigos y, cuando la llamé para ver si podía ir a casa porque tú habías desaparecido, se mostró encantada de ayudar.

–Yo no he desaparecido. Simplemente, necesitaba espacio. ¿Cómo me has encontrado?

–Créeme si te digo que no me ha resultado difícil. Sólo hay dos calles en este pueblo.

–Podría haberme ido a otro sitio.

–Sí, bueno, me imaginé que estarías en el más cercano. Y aquí estoy. Aunque habría sido muy útil que hubieras contestado el móvil.

–No me apetecía contestar.

–Siempre eres la difícil.

–Y tú eres imposible

El camarero les llevó lo que habían pedido y encendió la vela que había sobre la mesa. Carrie deseó que no lo hubiera hecho. Habría estado más a gusto a oscuras.

Durante unos instantes, Andreas se limitó a observarla en silencio.

–Bueno, ¿has tomado alguna decisión?

–¿De qué clase de decisión estás hablando? –preguntó ella, sorprendida. ¿Acaso lo sabía ya? ¿Le habría dicho Marcia que estaba embarazada?

–Creo que lo sabes. La que implica que sigues casada conmigo o que te vas. ¿Sabes una cosa, Carrie? Pensé que, como teníamos a Lilly, tardaríamos más en llegar a este particular cruce de caminos.

–Creo que cometimos un error, Andreas. Nuestro matrimonio no va a funcionar nunca.

Carrie tenía la voz llena de dolor. Durante un instante, Andreas volvió atrás en el tiempo, a otra cita igual que aquélla. En aquella ocasión, era Francesca la que estaba sentada frente a él, con sus hermosos ojos llenos de lágrimas. Le decía que lo amaba, pero que no podía casarse con él...

Siempre había creído que jamás volvería a sentir tanta angustia, pero se había equivocado. Lo que sentía en aquellos momentos con Carrie era mil veces peor.

Desde la primera vez que la vio, precisamente en aquel mismo café, había caído rendido a sus pies.

–¿Por qué no quieres tener un hijo conmigo? –le preguntó ella.

–¿Crees que no quiero tener un hijo contigo? Te aseguro, Carrie, que nada podría estar más lejos de la realidad –dijo. Entonces, le tomó la mano–. Quiero tener un hijo contigo más que nada en el mundo.

Aquellas palabras hicieron que el corazón de Carrie diera un vuelco de alegría. Lo miró fijamente. No estaba segura de haber entendido bien. Sin embargo, el contacto de la mano era muy real...

–Carrie, te amo.

Durante un instante, los ojos de Carrie se llenaron de lágrimas.

–Te amo desde el primer momento que te vi.

–¿Hablas en serio, Andreas? No podría soportar que me estuvieras mintiendo.

–Hablo completamente en serio, Carrie, pero no puedo tener un hijo contigo.

–¿Cómo puedes decir eso después de...? No lo entiendo. Yo...

–Soy estéril. Tuve paperas de niño. Jamás lo pensé mucho hasta que conocí a una mujer en París y me enamoré de ella. Ella me decía que me amaba, pero cuando se planteó que nos casáramos... empezó a tener dudas...

–Andreas, yo...

–Por eso no me pude comprometer contigo hace dos años. Sin embargo, cuando regresaste para ayudarme a cuidar de Lilly, pensé que con ella te bastaría. Recé para que la niña bastara para mantenernos unidos. Yo sabía que era egoísta por mi parte, pero... Por eso redacté el contrato. Sabía que este momento llegaría. Sabía que un día tendría que dejarte marchar.

Carrie recordó de repente las palabras que él había pronunciado durante la luna de miel. De repente, adquirieron un nuevo sentido.

«Carrie, ya te he explicado que quiero que este matrimonio funcione, pero la vida no es siempre lo que nosotros queremos. Todos tenemos nuestras necesidades y nuestros sueños. Si en el futuro los nuestros no... encajan, no quiero que ninguno de los dos se sienta atrapado. Además, tenemos una niña pequeña de la que preocuparnos».

–Andreas, yo no voy a abandonarte. Te amo...

–Carrie, cielo... Sé que estás sufriendo. Sé que tienes buenas intenciones y que te casaste conmigo por el bien de Lilly, pero... esto no va a desaparecer. Tú ya estás hablando de tener hijos...

–No tengo buenas intenciones. Sí, me casé contigo por el bien de Lilly, pero también porque te amo. Siempre lo haré. Con o sin bebé. Hablo en serio, Andreas. Sólo te he amado a ti en toda mi vida. No ha habido nunca nadie más en mi corazón.

Carrie se levantó y él hizo lo mismo.

–¿Me puedes volver a decir lo que sientes por mí? –añadió.

–Te amo, Carrie –susurró, acariciándole el rostro–. Te adoro. No puedo vivir sin ti, pero sé que es egoísta...

–Andreas, ¿crees en los milagros?

Él sonrió.

–Bueno, te conocí a ti... y regresaste cuando más te necesitaba por lo que sí, supongo que sí...

–Vayámonos de aquí. Tengo algo que decirte.

Andreas frunció el ceño, pero dejó dinero sobre la mesa y tomó la mano que ella le ofrecía.

Estuvieron unos minutos caminando junto al mar. Entonces, ella se volvió a mirarlo.

–Andreas, estoy embarazada de dos meses. Llevo un hijo tuyo dentro –dijo. Durante un instante, Andreas no pareció comprender–. Vamos a tener un hijo. He ido al médico esta tarde y él me lo ha confirmado.

Él siguió sin hablar.

–Yo tampoco me lo creía. Había estado utilizando anticonceptivos y sólo dejé de tomarlos un par de días.

–¿Estás segura? Esto es imposible, Carrie. No quiero quitarte la ilusión, pero...

–No hay error alguno. He visto a un médico, Andreas. Estoy de verdad embarazada de dos meses.

–Pero todas esas pruebas que me hicieron...

–Bueno, tal vez formamos una pareja muy explosiva. Una poderosa combinación.

–Eso sí es cierto. Siempre te lo he dicho, pero...

–Vas a ser papá, Andreas.

Él la abrazó con fuerza y Carrie lo correspondió.

–El destino decide, simplemente, que algunas cosas deben ocurrir –susurró ella.

–Como tú y yo. Sabes que no quiero dejarte escapar, ¿verdad? Nunca...

–Te aseguro que no me voy a marchar a ninguna parte –afirmó ella con una sonrisa–. Mi sitio está aquí, en esta isla, contigo, con Lilly y con nuestro hijo.

Epílogo

LOS DOS estaban presentes cuando Lilly comenzó a dar sus primeros pasos. Se sentaron en el suelo del salón mientras la niña los miraba con el rostro lleno de alegría.

–¡Qué lista es mi niña! –exclamó Carrie–. ¡Bien hecho! ¿Lo has visto, Andreas?

–¡Por supuesto que sí!

Se miraron durante unos instantes. Carrie supo que Andreas estaba pensando en lo mucho que aquel momento habría significado también para Jo y Theo.

–¡No me puedo creer que ya haya empezado a andar!

–Me alegro de que lo haya hecho cuando yo estaba en casa –dijo Andreas mientras extendía los brazos para que la niña volviera a intentarlo.

Lilly volvió a levantarse y se dirigió hacia él con un gesto de determinación en el rostro. Sus piernecitas se movían más rápido cuanto más se acercaba a Andreas. Reía de felicidad cuando se lanzó a sus brazos.

Los tres reían cuando Andreas la lanzó al aire.

–¡Qué lista es mi niña! –exclamó él, con orgullo.

–¿Significa eso que no lamentas haberte tomado tantos días de vacaciones? ¿Que no te preocupa lo que esté pasando en la oficina ni que hayas delegado en las personas adecuadas?

–¿Qué oficina? –bromeó Andreas.

–Jamás pensé que vería el día en el que estarías tan relajado.

–Yo tampoco creí que vería nunca este día.

Andreas miró hacia la cuna en la que Nicholas Theodore George Stillanos dormía plácidamente.

Su hijo.

–¿Está bien? –le preguntó Carrie.

–Está más que bien. Es perfecto –dijo Andreas, con una sonrisa. Entonces, la besó dulcemente–. No sé porque crees que querría estar en otro lugar que no fuera aquí contigo. Sin embargo tengo que ocuparme de un asunto...

Se apartó de ella y se dirigió al buró, del que sacó un montón de papeles.

–Llevo mucho tiempo queriendo hacer esto, pero, francamente, con la excitación de los últimos días, se me había olvidado.

–¿Qué es?

–Nuestro acuerdo prematrimonial. El contrato.

–Andreas, te aseguro que ni siquiera quiero pensar en eso...

–Yo tampoco, pero tenemos que hacerlo. La pregunta es... ¿lo quemamos o lo metemos en la trituradora?

Carrie sonrió aliviada.

–Creo que celebrarlo con una fogata sería una buena opción.

–Yo estaba pensando lo mismo, pero, para que sea más eficaz... –dijo él. Carrie vio cómo lo metía en una máquina y apretaba un botón–, lo trituraremos primero.

Carrie se echó a reír.

–Jamás me había dado cuenta del gusto que da deshacerse de los papeles.

–Lo sé. Es una sensación fantástica.

Regresó al lado de Carrie y la abrazó. Aún no se podía creer su buena fortuna. Jamás había pensado que la vida lo bendeciría dándole un hijo y aquella familia tan maravillosa. Daba gracias todos los días por ello. No daba nada por sentado. Jo y Theo le habían enseñado que hay que agarrar la vida con las dos manos y vivirla lo más plenamente posible.